Mijn Huis,

בֵּיתְכֶם

بيتك

My House,

Jouw Huis

בֵּיתִי,

بيتي،

Your House

הָאִיורים בַּסֵּפֶר הַזֶּה הֵם מֵאת פִיפ וֶסְטֶנְדוֹרְפּ (Fiep Westendorp). יֵשׁ בַּסֵּפֶר שִׁירִים וְסִפּורִים מֵאת שְׁנֵי סוֹפְרֵי יְלָדִים הוֹלַנְדִים: אָנִי שְׁמִיט (Annie M.G. Schmidt) וְהָאן הוֹקְסְטְרַה (Han G. Hoekstra).
קִטְעֵי הַקִּשׁור, הַהֶסְבֵּרִים עַל הַחֲדָרִים וְהַמַּתְכּוֹנִים נִכְתְּבוּ בִּמְיֻחָד עֲבור הַסֵּפֶר עַל-יְדֵי בִּיבִּי דומוֹן טַאק (Bibi Dumon Tak).

Deze uitgave met illustraties van Fiep Westendorp is aangevuld met gedichten, versjes en verhaaltjes uit de bundels *Ziezo - De 347 kinderversjes* (2004) en *Jip en Janneke* (2006) van Annie M.G. Schmidt en *Rijmpjes en versjes uit de nieuwe doos* (2007) van Han G. Hoekstra.
De introducerende verhaaltjes op het boek en de kamers en de recepten zijn speciaal voor deze uitgave door Bibi Dumon Tak geschreven.

يحتوي هذا الكتاب على رسوم الفنانة فيب فيستندورب مرفوقة بقصائد وأبيات شعرية وقصص من مؤلفات: وانتهى الأمر- 347 أشعار للأطفال (2004) و بيب و يانك (2006) للكاتبة أني م. خ. شميث، ثم قواف وأبيات شعرية من الصندوق الجديد (2007) للكاتب هان خ. هوكسترا.
القصص المدرجة في مقدمة الكتاب وفي الغرف وكذلك وصفات الأكل كتبها بيبي دومون طك خصيصا لهذه الطبعة.

This publication with illustrations by Fiep Westendorp also includes poems and stories from the collections *Ziezo - De 347 kinderversjes* ("There! The 347 Children's Poems", 2004), *Jip and Janneke* (English edition, 2008) and *Jip en Janneke* (2006) by Annie M.G. Schmidt and *Rijmpjes en versjes uit de nieuwe doos* ("New-Fashioned Poems", (2007) by Han G. Hoekstra.
The recipes and introductions were written specially for this publication by Bibi Dumon Tak.

De gedichten van Annie M.G. Schmidt komen uit de bundel
The poems by Annie M.G. Schmidt are from
הַשִּׁירִים שֶׁל אָנִי שְׁמִיט הֵם מִתּוֹךְ קֹבֶץ הַשִּׁירִים
اقتبست أشعار أني. م. خ شميث من مؤلف

Schmidt, A. M. G.
Ziezo - De 347 kinderversjes.
[14e en 15e dr.; 1e dr. 1987]
Amsterdam - Antwerpen: Querido.

De verhalen van Annie M.G. Schmidt komen uit de bundel
The stories by Annie M.G. Schmidt are from
הַסִּפּורִים שֶׁל אָנִי שְׁמִיט הֵם מִתּוֹךְ קֹבֶץ הַסִּפּורִים
أخذت قصص أني. م. خ شميث من مؤلف

Schmidt, A. M. G., en Westendorp, S. M. (Fiep).
Jip en Janneke.
[34e dr.; 1e dr. 1977]
Amsterdam - Antwerpen: Querido.

De gedichten van Han G. Hoekstra komen uit de bundel
The poems by Han G. Hoekstra are from
הַשִּׁירִים שֶׁל הָאן הוֹקְסְטְרַה הֵם מִתּוֹךְ הַסֵּפֶר
أقتبست أشعار هان خ. هوكسترا من مؤلف

Hoekstra, H. G. en Westendorp, S. M. (Fiep).
Rijmpjes en versjes uit de nieuwe doos.
[15e dr.; 1e dr. 1976]
Amsterdam: Meulenhoff.

Illustraties | Illustrations | איורים | الرسوم

www.jhm.nl
www.jhmkindermuseum.nl
www.fiepwestendorp.nl

Welkom in ons huis. We hoopten al dat je langs zou komen, maar nu ben je er dan echt. Trek je jas uit en doe of je thuis bent. Eens kijken, in welke kamer zullen we beginnen? In de woonkamer natuurlijk, dat lijkt ons de beste kamer om je welkom te heten. Maar eerst nog even dit: je hoeft niet bang te zijn dat je ons niet begrijpt, want in dit huis spreken we onze talen. Ja, we zijn om het zo te zeggen van alle markten thuis. Hou je vast: we kennen Hebreeuws, Arabisch, Engels en Nederlands.

En er is nog iets dat je moet weten. Alle tekeningen die je in dit boek ziet zijn gemaakt door Fiep Westendorp. Fiep is de beroemdste illustratrice van Nederland. Veel tekenaars van nu zeggen weleens: 'We hebben twee moeders. Onze eigen moeder en Fiep.'

Fiep vond tekenen het allerleukste dat er is en daarom vond ze het belangrijk dat er een tekenkamer zou komen. Een tekenkamer waar alle kinderen van de wereld konden komen tekenen. En die kamer is er nu. Waar? In Amsterdam. In het Joods Historisch Museum, als je binnenkomt rechtsaf, om heel precies te zijn. Die echte kamer van Fiep zorgde er weer voor dat er papieren kamers kwamen. Kamers waar jij nu kunt binnenstappen zonder dat je helemaal naar het museum hoeft te reizen. Het is een groot wonder.

Lang leve Fiep.

PS Natuurlijk mag je ook naar de echte kamer komen kijken. Maar ga eerst eens een kopje thee drinken in de papieren woonkamer, daar zitten ze namelijk al uren op je te wachten!

בְּרוּכִים הַבָּאִים לְבֵיתֵנוּ. קִוִּינוּ כָּל-כָּךְ שֶׁתָּבוֹאוּ, וְהִנֵּה אַתֶּם פֹּה. יֹפִי! אָז תּוֹרִידוּ אֶת הַמְּעִילִים וְתַרְגִּישׁוּ בַּבַּיִת. הָכְנוּ לָכֶם סִיּוּר מְדֻרָּךְ. אֲבָל רֶגַע... בְּאֵיזֶה חֶדֶר נַתְחִיל? כֵּן, כַּמּוּבָן, בַּחֲדַר הַמְּגוּרִים, זֶהוּ הַחֶדֶר הַמַּתְאִים בְּיוֹתֵר לְקַבָּלַת פָּנִים. דֶּרֶךְ אַגַּב, אֵין לָכֶם מַה לִדְאֹג שֶׁלֹּא תָּבִינוּ אוֹתָנוּ. בַּבַּיִת הַזֶּה מְדַבְּרִים כָּל מִינֵי שָׂפוֹת. כֵּן, כֵּן, אֲנַחְנוּ אַנְשֵׁי הָעוֹלָם הַגָּדוֹל, אֲנַחְנוּ מְדַבְּרִים עִבְרִית, אַנְגְּלִית, עֲרָבִית וְהוֹלַנְדִית.

וְיֵשׁ עוֹד דָּבָר שֶׁרְצִינוּ לְסַפֵּר לָכֶם: אֶת כָּל הַצִּיּוּרִים בַּסֵּפֶר הַזֶּה צִיְּרָה מְאַיֶּרֶת הַסְּפָרִים הַמְפֻרְסֶמֶת בְּיוֹתֵר בְּהוֹלַנְד: פִיפ וֶסְטֶנדוֹרְפ. הַרְבֵּה מְאַיְּרִים הוֹלַנְדִים בְּיָמֵינוּ אוֹמְרִים: יֵשׁ לִי שְׁתֵּי אִמָּהוֹת: "אִמָּא שֶׁלִּי וּפִיפ."

פִיפ אָהֲבָה מְאֹד לְצַיֵּר. זֶה הָיָה הַדָּבָר הָאָהוּב עָלֶיהָ בְּיוֹתֵר. הַחֲלוֹם שֶׁלָּהּ הָיָה לְהָקִים חֲדַר צִיּוּר שֶׁכָּל יַלְדֵי הָעוֹלָם יוּכְלוּ לָבוֹא לְצַיֵּר בּוֹ. וְהַחֶדֶר הַזֶּה בֶּאֱמֶת קַיָּם. אֵיפֹה? בְּאַמְסְטֶרְדָם. בַּמּוּזֵיאוֹן הַיְּהוּדִי. וְאֵיךְ מַגִּיעִים לַחֶדֶר הַזֶּה? נִכְנָסִים לַמּוּזֵיאוֹן וּמִיָּד אַחֲרֵי הַכְּנִיסָה נִכְנָסִים בַּדֶּלֶת מִיָּמִין. וּבִזְכוּת הַחֶדֶר הָאֲמִתִּי נוֹצְרוּ גַּם חֲדָרִים שֶׁל נְיָר, חֲדָרִים שֶׁאֶפְשָׁר לְהִכָּנֵס אֲלֵיהֶם גַּם בְּלִי לַעֲשׂוֹת אֶת כָּל הַדֶּרֶךְ לַמּוּזֵיאוֹן. פֶּלֶא פְּלָאִים! וְהַכֹּל בִּזְכוּת פִיפ!

נ. ב. מֻתָּר לָכֶם כַּמּוּבָן גַּם לָבוֹא לִרְאוֹת אֶת הַחֶדֶר הָאֲמִתִּי. אֲבָל בּוֹאוּ נִשְׁתֶּה קֹדֶם כּוֹס תֵּה בַּחֲדַר הַמְּגוּרִים שֶׁעַל הַנְּיָר. מְחַכִּים לָכֶם שָׁם. כְּבָר שָׁעוֹת.

مرحبا بك في بيتنا. كنا ننتظر مجيئك، وهاأنت أتيت الآن. أخْلع معطفك وتصرف كأنك في بيتك. لنرى، من أي غرفة سنبدأ؟ من غرفة الاستقبال طبعا، يبدو لنا أنها أحسن غرفة للترحيب بك. ولكن انتبه معنا: لا داعي للخوف من عدم فهمنا، ففي هذا البيت نتحدث لغاتنا. نحن منفتحون على الجميع. نتقن العبرية، العربية، الإنجليزية والهولندية.

هناك شيء آخر يجب أن تعرفه. كل الرسوم التي تراها في هذا الكتاب رسمتها فيب فستندورب. فيب هي أشهر رسامة في هولندا. عدد كبير من الرسامين المعاصرين يقولون في بعض الأحيان: "لدينا أمان. أمنا وفيب." كانت فيب ترى أن الرسم هو أجمل ما يكون، لذا رأت أنه من الضروري أن تكون هناك ورش الرسم. ورش الرسم تستقبل أطفال العالم ليرسموا. وتلك الغرفة موجودة الآن. أين؟ في امستردام. في متحف تاريخ اليهود، بالضبط على الجهة اليمنى من مدخل المتحف. الغرفة الحقيقية لفيب عملت على صنع غرف الورق. غرف يمكنك دخولها دون أن تسافر الى المتحف. إنها معجزة كبيرة. عاشت فيب.

ملاحظة: طبعا يمكن لك أن تزور الغرفة الحقيقية. ولكن اشرب كأس شاي أولا في غرفة الاستقبال الورقية، حيث ينتظرونك منذ ساعات!

Welcome to our house.  We were hoping you'd drop by, but now you're really here. Take off your coat and make yourself at home. Let's see, where shall we start? In the living room, of course, that's obviously the best room for welcoming somebody. But first a few words.

Don't worry that you might not understand us – we're good at languages. You could say we're ready for everyone. We don't like to boast, but in this house we speak Hebrew, Arabic, Dutch and English.

And there's something else you should know. All of the drawings in this book were done by Fiep Westendorp. Fiep is the most famous Dutch illustrator ever. Many of today's illustrators say: "I had two mothers. My own and Fiep."

There was nothing Fiep liked quite as much as drawing, and that's why she thought it was important for there to be a room where children from all over the world could come and draw. So now we have a studio. Where? In Amsterdam. In the Jewish Historical Museum. On the right as you come into the building, to be precise: the Fiep Westendorp Studio.

Fiep's studio led to paper rooms. Rooms you can discover without having to come all the way to the museum. It's a miracle.

Long live Fiep!

PS Of course, you can also come in and have a look at the real rooms. But go and have a cup of tea in the paper living room first, we've been waiting for you for hours!

غرفة الاستقبال

Living Room

Woonkamer

חֲדַר הַמְּגוּרִים

Hi, come on in. No need to knock. My home is your home. Watch the step. We don't bite. Did you know that this is the cosiest room in the house? Everyone is welcome here.

Sit yourself down, then we'll have a cup of tea. And of course you can have a biscuit. You can have as many as you like. You can even choose: there are treacle waffles, almond brioches and iced crescents. Just remember, you'll be visiting the kitchen later and there'll be all kinds of yummy things waiting for you there as well!

The living room belongs to everyone. Your mother and father. Your aunt and uncle when they come to visit. Your brother and sister. And you too, of course. Not forgetting the cat and the dog. But, most of all, the living room belongs to the table and chairs. The sideboard and the lamp. The sofa, the desk and the coffee table near the window. You hadn't thought of that, had you? Imagine how those pieces of furniture feel just standing there. Day in, day out. It must drive them up the wall. Maybe you could give them a pat on the back now and then. I'm sure they'd appreciate it. And if there's a layer of dust, you can write your name: Naomi was here. But be careful, don't tickle them – furniture can't stand being tickled. Before you know it, they'll be rolling around the floor. And it will be your fault!

שָׁלוֹם לָכֶם. הִכָּנְסוּ. אֶצְלֵנוּ לֹא צָרִיךְ לִדְפוֹק בַּדֶּלֶת. בֵּיתֵנוּ הוּא בֵּיתְכֶם. הִכָּנְסוּ רֶגֶל, וְעוֹד רֶגֶל. אַל חֲשַׁש, אֲנַחְנוּ לֹא נוֹשְׁכִים. חוּץ מִזֶּה, הַחֶדֶר הַזֶּה הוּא הֲכִי כֵּיפִי בַּבַּיִת. וְגַם הֲכִי יְדִידוּתִי.

תִּתְיַשְּׁבוּ בְּבַקָּשָׁה וְתִתְכַּבְּדוּ בְּכוֹס תֵּה. וְעֻגִּיָּה. לֹא, וַדַּאי שֶׁלֹא רַק אַחַת! כַּמָּה שֶׁתִּרְצוּ. וְאֶפְשָׁר גַּם לִבְחוֹר: יֵשׁ לָנוּ וָאפֶל הוֹלַנְדִי בְּמִלּוּי קָרַמֶל, עֻגוֹת שְׁקֵדִים עֲסִיסִיּוֹת וְעֻגִּיּוֹת סַהַר מְזֻגָּגוֹת. אֲבָל אַל תִּשְׁכְּחוּ: עוֹד מְעַט נַגִּיעַ לַמִּטְבָּח, וּמַה שֶּׁשָּׁם מְחַכֶּה לָכֶם...!!

חֲדַר הַמְּגוּרִים שַׁיָּךְ לְכֻלָּם: לְאִמָּא וּלְאַבָּא, לַדּוֹד וְלַדּוֹדָה, כְּשֶׁהֵם בָּאִים לְבַקֵּר, לָאַחִים וְלָאַחְיוֹת שֶׁלָּכֶם. וְגַם לָכֶם, כַּמּוּבָן. וְאַל נִשְׁכַּח אֶת הֶחָתוּל וְהַכֶּלֶב. אֲבָל הֲכִי-הֲכִי הוּא שַׁיָּךְ לַשֻּׁלְחָן וְלַכִּסְאוֹת, לָאָרוֹן וְלַמְּנוֹרָה, לַסַּפָּה וְלַמִּכְתָּבָה וְלַשֻּׁלְחָן הַקָּטָן שֶׁלְּיַד הַחַלּוֹן. עַל זֶה לֹא חֲשַׁבְתֶּם, מָה? וְתַחְשְׁבוּ גַּם עַל זֶה: הָרָהִיטִים עוֹמְדִים לָהֶם סְתָם בַּחֶדֶר. יוֹם אַחַר יוֹם, שָׁבוּעַ אַחַר שָׁבוּעַ. הֵם מִשְׁתַּגְּעִים מִשִּׁעֲמוּם. אָז מַה אַתֶּם אוֹמְרִים, אוּלַי צָרִיךְ לְלַטֵּף אוֹתָם מִדֵּי פַּעַם? זֶה בֶּטַח יַעֲשֶׂה לָהֶם טוֹב. וְאִם יֵשׁ עֲלֵיהֶם שִׁכְבַת אָבָק, אֶפְשָׁר לִכְתּוֹב בָּאֶצְבַּע: "נָעֳמִי הָיְתָה פֹּה". אֲבָל זְהִירוּת! לֹא לְדַגְדֵּג רָהִיטִים מַמָּשׁ לֹא אוֹהֲבִים שֶׁמְּדַגְדְּגִים אוֹתָם. הֵם עוֹד עֲלוּלִים לִפֹּל. וּמִי יִהְיֶה אָז אָשֵׁם?

Hoi, kom maar verder hoor. Het is hier binnen zonder kloppen. Jouw huis, mijn huis. Til je voeten maar over de drempel heen. We bijten niet als je dat soms dacht. Weet je, dit is de gezelligste kamer van het huis. Hier is iedereen welkom.

Ga maar lekker zitten, dan drinken we een kopje thee. Nee, natuurlijk niet met maar één koekje. Je mag er zoveel als je wilt. Je kunt zelfs kiezen: er zijn stroopwafels, amandelbolussen en geglazuurde halvemaantjes. Alleen bedenk wel dat je straks ook nog langs de keuken moet, en wat daar allemaal niet ligt te wachten!

De woonkamer is van iedereen. Van je vader en je moeder. Van je oom en tante als ze op bezoek komen. Van je broertje en je zusje. Van jou natuurlijk. Van de poes en de hond niet te vergeten. Maar het allermeest is de woonkamer natuurlijk van de tafel en de stoelen. Van de kast en van de lamp. Van de bank, van het bureau, van het kleine tafeltje bij het raam. Dat had je niet gedacht hè?

Stel je eens voor, die meubels staan daar maar te staan. Dag in dag uit tot ze er helemaal tureluurs van worden. Misschien moet je ze daarom maar even aaien. Dat vinden ze vast fijn. En als er een laagje stof op ligt dan schrijf je voorzichtig je naam erin: Naomi was hier. Maar pas op, niet kietelen, daar kunnen meubels niet goed tegen. Straks zakken ze nog door hun pootjes. En dan heb jij het gedaan!

أهلا تفضل. أدخل دون طرق الباب. بيتي هو بيتك. أرفع قدمك، انتبه للعتبة. إننا لانؤذي أحدا، ربما خطر ذلك ببالك يوما ما. هل تعلم أن هذه هي أكثر الغرف حيوية في البيت؟ نرحب هنا بالجميع.

تفضل، اجلس سنشرب كأس شاي. طبعا، ليس مع كعكة واحدة فقط، يمكن أن تأكل العدد الذي تريده. يمكن لك أن تختار: هناك بسكوتة بالعسل، كعك باللوز، وكعب الغزال. وعليك أن لا تنسى أنك ستزور المطبخ أيضا بعد ذلك، وهناك ينتظرك الكثير!

غرفة الاستقبال للجميع. لأبيك وأمك. لعمك وخالتك، إذا جاءوا للزيارة. لأخيك وأختك. وطبعا، هي لك أيضا. ويجب ألا ننسى القط والكلب. والأهم في غرفة الاستقبال هي المائدة والكراسي. الخزانة والمصباح. الأريكة، والمكتب، والطاولة الصغيرة قرب النافذة. ألم يخطر ذلك في بالك؟ تصور، أن ذلك الأثاث جامد هناك. مع مرور الأيام سيصيبه الملل. لذا عليك أن تلاطفه قليلا. يحب ذلك دون شك. وإذا كان عليه غبار، اكتب بحذر اسمك: ناومي كانت هنا. ولكن دون دغدغة، لأن الأثاث لا يحب ذلك كثيرا. فربما سيسقط، وستكون أنت المسؤول عن ذلك!

Aunty Jo

When Aunty Jo of Camden Town
came downstairs in her dressing gown
at half past six one morning,
she blurted out, "Oh goodness me
what is this strange thing that I see?
What wonders could be dawning?"

She felt like flopping on the chair,
but couldn't 'cause a deer was there.
She yelled and shouted, "Psst!" and "Shoo!"
and grabbed a plate, which she then threw,
the deer just looked up blinking

and listened to the radio,
while poor unhappy Aunty Jo
was desperately thinking,
and feeling sad and awful queer,
for on the sofa sat a deer.

She knew she needed someone's aid
and quickly called the fire brigade
and the police inspector.
The people came from near and far
and looked and shouted, "Ooh!" and "Ah!"
and offered to protect her.

"Well strike me dead," said Uncle Fred,
"The sofa's now a reindeer bed!"
Though no one had the slightest clue
of what to say or what to do,
the deer seemed most contented

and sat so still that Aunty Jo,
who'd longed to have it up and go,
quite suddenly relented.
She let it stay and in the end
the deer became a dear, dear friend,
who Jo loves like a brother.

And now she uses all its prongs
to hang her ladles, pots and tongs –
a pan rack like no other.
And Aunty Jo says, "Wonderful!
It's even good for winding wool.
I never lose a spoon or knife,
and the deer now has a goal in life."

הַדּוֹדָה דִּינָה

כְּשֶׁדּוֹדָה דִּינָה מֵחוֹלוֹן
יָרְדָה בַּבֹּקֶר לַסָּלוֹן
בְּשֵׁשׁ עֶשְׂרִים וּשְׁתַּיִם,
כִּמְעַט נָפְלָה עַל הָרִצְפָּה:
מִי זֶה יוֹשֵׁב עַל הַסַּפָּה
דַּוְקָא אֶצְלִי בַּבַּיִת?

לֹא מֶלְצַר וְלֹא דַּיָּל.
עַל הַסַּפָּה יָשַׁב אַיִל!

הַדּוֹדָה דִּינָה מֵחוֹלוֹן
זָרְקָה עַל הָאַיִל סְפָלוֹן,
אַךְ הוּא הִמְשִׁיךְ לָשֶׁבֶת.
יָשַׁב בְּנַחַת בְּפִנָּה
וְדוֹדָה דִּינָה, מִסְכֵּנָה,
חוֹשֶׁבֶת וְחוֹשֶׁבֶת:

מַה לַעֲשׂוֹת? צָרָה צְרוּרָה!
אַיִל בַּבַּיִת, זֶה נוֹרָא!

הִיא צִלְצְלָה לַמִּשְׁטָרָה
וְאַחַר-כָּךְ גַּם הִתְקַשְּׁרָה
לְמַכַּבֵּי-הָאֵשׁ.
וְהַשְּׁכֵנִים וְהַשְּׁכֵנוֹת
צָבְאוּ עַל כָּל הַחַלּוֹנוֹת
לִרְאוֹת אֶת הַפּוֹלֵשׁ.

הַדּוֹד דָּוִד סָפַק כַּפַּיִם
וְקָרָא: שׁוֹמוּ שָׁמַיִם!

אָז מָה עוֹשִׂים כְּשֶׁבַּחוּלוֹן
יוֹשֵׁב אַיִל בְּתוֹךְ סָלוֹן
וְלֹא מַסְכִּים לָצֵאת?
אָמְרָה הַדּוֹדָה: אֵין בְּרֵרָה,
אוּלַי זֶה לֹא כָּל-כָּךְ נוֹרָא,
שֶׁיַּעֲשֶׂה מַשֶּׁהוּ רוֹצֶה.

עִם הַזְּמַן הִיא הִתְרַגְּלָה
לָאַיִל שֶׁבַּסָּלוֹן שֶׁלָּה.
כְּבָר אִי אֶפְשָׁר בִּלְעָדָיו.
עַל הַקַּרְנַיִם הִיא תּוֹלָה
אֶת כָּל כְּלֵי הַמִּטְבָּח שֶׁלָּה
הוּא מִין אַיִל-קוֹלָב.

הַדּוֹדָה דִּינָה מֵחוֹלוֹן
שְׂמֵחָה בָּאַיִל שֶׁבַּסָּלוֹן
וְלָאַיִל גַּם דֵּי נָעִים
שֶׁיֵּשׁ לוֹ יַעַד בַּחַיִּים.

Tante To

Toen tante To in Amsterdam
vanmorgen naar beneden kwam,
om vijf voor half zeven,
toen zei ze heel verwonderd: Hee,
wat zit daar op de kanapee?
Wat zal ik nou beleven?

De hele kamer was versperd,
want op de sofa zat een hert.
En tante To riep: Kssst! En Vort!
Ze gooide met een keukenbord.
Maar 't beest bleef rustig binnen.

Daar zat het, bij de radio,
terwijl die arme tante To
niet wist wat te beginnen
en heel erg opgewonden werd,
want op de sofa zat dat hert.

Ze heeft de brandweer opgebeld
en 't ook aan ome Bert verteld
en aan de commissaris.
De buren uit de hele wijk,
die kwamen. En ze riepen: Kijk,
daar zit-ie nou. Kijk daar 's.

Het is toch wat, zei ome Bert,
daar op die sofa zit een hert!
Maar niemand die er raad op wist.
Daar zat het beest. Het wou beslist
de kamer niet verlaten.

In vredesnaam, zei tante To,
vooruit, het is nou eenmaal zo,
we zullen 't daar maar laten.
Ze heeft er zich bij neergelegd.
Nu is ze aan het hert gehecht
en kan er niet meer zonder.

En bovendien, aan het gewei
daar hangt nu het eetgerei
van boven en van onder.
En tante To zegt: 't Is niet gek,
ik heb een beeldig pannenrek.
Zo is het goed, naar mijn gevoel.
En 't hert heeft ook een levensdoel.

14

الخالة تو

حين نزلت الخالة تو من أمستردام
هذا الصباح نحو الأسفل،
على الساعة السادسة وخمس وعشرون دقيقة،
قالت مندهشة:
ماذا يوجد هناك على الأريكة؟
هل تنتظرني مفاجأة؟

كانت الغرفة محجوزة،
لأن أيلا كان جالسا على الأريكة.
ونادت الخالة تو: بسست! وواصلت!
رمت بصحن أكل.
ولكن الحيوان بقي في مكانه هادئا.

كانت هناك، قرب الراديو،
والخالة المسكينة تو
لم تعرف من أين تبدأ
وكانت متهيجة جدا،
لأن الأيل كان جالسا على الأريكة.

اتصلت برجال المطافئ
وأخبرت العم برت أيضا
وعميد الشرطة.
وجاء الجيران من كل الحي.
وقالوا: انظر،
انه جالس هناك. انظر هناك.

هذا غريب، يقول العم برت
الأيل جالس هناك على الأريكة!
ولا أحد يعرف ما العمل.
الحيوان كان جالسا هناك.
ولم يكن يرغب بتاتا في مغادرة الغرفة.

بحق السماء، قالت الخالة تو،
وليكن، هذا أمر واقع،
سنترك الأمور هكذا.
استسلمت للأمر الواقع.
والآن ارتبطت بالأيل
ولا تستطيع أن تعيش دونه.

والآن فوق وتحت
قرون الأيل
تعلق أواني الأكل.
وتقول الخالة تو: هذا ليس غريبا،
لدي رف طناجر جميل.
هذا جيد، هذا هو إحساسي.
والأيل له أيضا هدف في الحياة.

Theevisite

Janneke heeft een serviesje. Van plastic. Er zijn twee kopjes.
En twee schoteltjes. En een theepot. En een melkkan. En een
suikerpot. En nog een schaaltje. Voor koekjes. Janneke mag zelf
thee zetten. Want ze heeft ook een fluitketeltje. Dat had ze allang.
Maar moeder zegt: 'Heel voorzichtig, Janneke. Pas op dat je je niet
brandt.' En moeder blijft er zelf bij staan. Maar Janneke is erg knap.
En ze kan het best. En dan gaat ze met Jip theedrinken.
Ze zitten aan het kleine tafeltje. En Janneke schenkt in. Heel netjes.
Met de pink in de lucht.
'En wat moet ík doen?' zegt Jip.
'Niets,' zegt Janneke. 'Jij moet theedrinken.
Jij bent op visite. Je moet zeggen: Mooi weer, mevrouw.'
'Maar het is geen mooi weer,' zegt Jip.
'Nou,' zegt Janneke, 'dan moet je zeggen:
Het regent, mevrouw.'
'Maar het regent niet,' zegt Jip. 'Het is gewoon lelijk weer. Maar het
regent niet.' Mag ik nog een koekje?'
'Als je op visite bent mag je niet vragen om een koekje,' zegt
Janneke.
En dan heeft Jip er genoeg van. 'Ik mag ook niks,' zegt hij. 'En ik lust
geeneens thee. Ik ga weg.' En Jip loopt weg. Maar hij pakt nog wel
alle koekjes van de schaal.
'Ooo,' roept Janneke. 'Mijn koekjes!'
En ze holt Jip achterna.
Maar het is al te laat. Jip heeft de koekjes al opgegeten.
'Lelijkerd!' huilt Janneke. 'Je mag nooit meer bij me theedrinken.'
En ze gaat boos weg. Met haar serviesje.
En Jip is treurig. En hij heeft spijt.
Maar de volgende dag is Janneke weer goed.

زيارة شاي

يانك (Janneke) لديها رزمة من الأوّاني البلاستيكية، مكونة من كأسين، صحنين صغيرين، إبريق للشاي وآخر للحليب، علبة السكر، ثم أخيرا طبق خاصة بالحلوى. رغبت يانك في تحضير الشاي بنفسها، فهي تملك غلّاية منذ زمن طويل.

حذرتها الأم قائلة : "أنتبهي جيدا يانك! إياكِ أن تحترقي!" وقفت الأم بجانبها لتساعدها، لكن يانك فتاة ذكية، تعرف جيداً ما تفعل. بعد أن حضّرت الشاي همت بشربه مع ييب (Jip).

جلسا معا حول مائدة صغيرة وصّبت يانك الشاي من الإبريق بطريقة جد لبقة حيث انتصب خنصرها مثلا في الهواء عندما كانت تصب الشاي.

وتسآل ييب "هل من شيء أ فعله؟" أجابته يانك "لا شيء". "ماعليك سوى شرب الشاي، فأنت في زيارة"، ثم ردّد :"ما أجمل الطقس سيدتي" رد عليها ييب "لكن الطقس ليس جميلا".

فقالت يانك "قل إذن بأن الجو ممطر، سيدتي".فرد عليها ييب "ليس هناك مطر. كل ماهنالك هو أن الجو رديئ، وليس ممطر."

"أريد حلوى أخرى؟" قالت له يانك: "إذا كنت ضيفا عند أحد لا تطلب منهم الحلوى". عندئذ أنفجر ييب غاضبا وقال: "كل ما أرغب فيه ممنوع علي، مع أنني لا أحب شرب الشاي. سأذهب الى حال سبيلي". لكنه قبل أن يخرج أخذ معه كل ماتبقى من الحلوى في الطبق.

صرخت فيه يانك "أو أو أو!" إنه أخذ كل الحلوى! ثم جرت وراءه. لكن فات الأوان إذ أكل ييب كل الحلوى. بكيت يانك و قالت له غاضبة: "أنت نصّاب، من اليوم لن تشرب الشاي عندي أبدا".

ذهبت يانك غاضبة وهي تحمل معها رزمة الأواني. أما ييب فهو حزين ونادم على مافعله. لكن في اليوم التالي أصبحت يانك على خير، وكأن شيئا لم يقع.

A Tea Party

Janneke has a tea set. A plastic tea set. With two cups. And two saucers. And a teapot. And a milk jug. And a sugar bowl. And a little dish as well. For biscuits. Janneke is allowed to make her own tea. With her own kettle. She's had that for ages.

But mother says, "Be very careful, Janneke. Make sure you don't burn yourself." And mother stands there watching. But Janneke is very clever. She can do it. And then she sits down to have a cup of tea with Jip.

They sit at the small table. And Janneke pours. Like a real lady. With her little finger sticking out.

"What am I supposed to do?" asks Jip.

"Nothing," Janneke says. "You have to drink tea. You're here for the tea party. You have to say, 'It's a lovely day today.'"

"But it's not lovely today," Jip says.

"Well," Janneke says, "then you have to say, 'It's raining.'"

"But it's not raining," Jip says. "It's just yucky weather. But it's not raining. Can I have another biscuit?"

"At tea parties you're not allowed to ask for biscuits," Janneke says. And that's too much for Jip. "I'm not allowed to do anything," he says. "And I don't even like tea. I'm leaving." And Jip walks off. But on the way out, he grabs the biscuits. All of them.

"Hey," Janneke shouts. "They're my biscuits!"

And she runs after Jip.

But it's too late. Jip has already eaten all of the biscuits.

"You're horrible!" Janneke cries. "You're never coming to another tea party here again."

And she stomps off. With her tea set.

And Jip is sad. And he's sorry.

But the next day Janneke is all right again.

שְׁעַת הַתֵּה

לְיַנְקֶה יֵשׁ מַעֲרֶכֶת כֵּלִים לְתֵה. מִפְּלַסְטִיק. יֵשׁ לָהּ שְׁנֵי סְפָלוֹנִים וּשְׁתֵּי תַּחְתָּיוֹת. יֵשׁ לָהּ קַנְקַן תֵּה וְכַד לְחָלָב. וּכְלִי לְסֻכָּר. וְגַם קַעֲרִית. לְעֻגִיּוֹת. יַנְקֶה מְכִינָה תֵּה בְּעַצְמָהּ. מֻתָּר לָהּ, כִּי יֵשׁ לָהּ גַּם קוּמְקוּם. קוּמְקוּם שׁוֹרֵק. כְּבָר מִזְּמַן יֵשׁ לָהּ.

אִמָּא אוֹמֶרֶת: "לְאַט לְאַט, יַנְקֶה. תִּזָּהֲרִי שֶׁלֹּא תִכָּוִי." וְהִיא עוֹמֶדֶת לְיָדָהּ כָּל הַזְּמַן. אֲבָל יַנְקֶה כְּבָר גְּדוֹלָה, הִיא יְכוֹלָה כְּבָר לְבַד. וּכְשֶׁהִיא מְסַיֶּמֶת, הִיא הוֹלֶכֶת לִשְׁתּוֹת תֵּה עִם יִיף.

הֵם יוֹשְׁבִים אֶל הַשֻּׁלְחָן הַקָּטָן. יַנְקֶה מוֹזֶגֶת. בְּלִי לִשְׁפֹּךְ אַף טִפָּה. וְעִם זֶרֶת זְקוּפָה.

"וַאֲנִי?" שׁוֹאֵל יִיף. "מָה אֲנִי אֶעֱשֶׂה?"

"כְּלוּם," עוֹנָה לוֹ יַנְקֶה. "אַתָּה תִּשְׁתֶּה תֵּה. אַתָּה הָאוֹרֵחַ. תִּשְׁתֶּה תֵּה וְתַגִּיד: יוֹם נָעִים הַיּוֹם, גְּבִרְתִּי."

"אֲבָל בִּכְלָל לֹא נָעִים הַיּוֹם," אוֹמֵר יִיף.

"טוֹב," אוֹמֶרֶת יַנְקֶה, "אָז תַּגִּיד: יוֹם גָּשׁוּם הַיּוֹם, גְּבִרְתִּי."

"אֲבָל לֹא יוֹרֵד גֶּשֶׁם," אוֹמֵר יִיף. "סְתָם לֹא יָפֶה בַּחוּץ. אֲבָל לֹא יוֹרֵד גֶּשֶׁם. אֶפְשָׁר לְקַבֵּל עוֹד עֻגִיָּה?"

"אוֹרְחִים לֹא מְבַקְשִׁים עֻגִיָּה, זֶה לֹא יָפֶה," אוֹמֶרֶת יַנְקֶה.

וְאָז נִמְאַס לְיִיף. "אַתְּ לֹא מַרְשָׁה לִי כְּלוּם," הוּא אוֹמֵר. "וַאֲנִי בִּכְלָל לֹא אוֹהֵב תֵּה. אֲנִי הוֹלֵךְ." וְהוּא מִסְתַּלֵּק לוֹ. אֲבָל לִפְנֵי שֶׁהוּא יוֹצֵא, הוּא לוֹקֵחַ אֶת כָּל הָעֻגִיּוֹת שֶׁבַּקְּעָרִית.

"הֵיי!" קוֹרֵאת יַנְקֶה. "הָעֻגִיּוֹת שֶׁלִּי!"

הִיא רָצָה אַחֲרֵי יִיף.

אֲבָל מְאֻחָר מִדַּי. יִיף כְּבָר אָכַל אֶת כָּל הָעֻגִיּוֹת.

"מַגְעִיל אֶחָד!" בּוֹכָה יַנְקֶה. "אֲנִי בַּחַיִּים כְּבָר לֹא אַזְמִין אוֹתְךָ לִשְׁתּוֹת אֶצְלִי תֵּה."

יַנְקֶה כּוֹעֶסֶת. הִיא הוֹלֶכֶת הַבַּיְתָה וְלוֹקַחַת אִתָּהּ אֶת מַעֲרֶכֶת הַכֵּלִים שֶׁלָּהּ.

יִיף עָצוּב. הוּא מִתְחָרֵט.

אֲבָל כְּשֶׁהֵם נִפְגָּשִׁים לְמָחֳרָת, יַנְקֶה כְּבָר לֹא כּוֹעֶסֶת.

الأثاث

سالت الطاولة الكرسي. هل ستتجول قليلا معي؟
لقد سئمت من الوقوف جامدة في الغرفة.
فعلا، هكذا تحدث الكرسي، أنا ايضا أصبحت جامدا،
هيا، لنذهب، لدينا على الأقل أرجل للمشي.

هل أرافقك؟ سألت الخزانة الخشبية الواطئة.
لكنني أمشي ببطئ، لأنني ثقيلة جدا.
كل تلك الفناجين والصحون والكؤوس في بطني
وأنت يا خزانة الكتب، هل ستذهبين معي أيضا؟

هكذا خرج الأثاث للتجول قليلا على شاطئ البحر.
باستثناء الساعة والمصباح، فلم يسمح لهما بالخروج.
فهما الآن حزينان في البيت الكبير الفارغ.
هكذا الحياة: من لا يملك أرجلا يبقى في البيت.

The Furniture

"Would you like to come out walking?" said the table to the chair,
"I've been standing here forever, and I'd like to take the air."
"Now you mention it, I'd love to come," the chair at once replied.
"Why, we both have legs beneath us that we've never even tried."

"May I keep you company?" the oaken sideboard then enquired.
"Though I am a little heavy and I fear I may get tired.
With these cups and plates and glasses in my chest, I sometimes wheeze."
"Would you care to join us, bookcase?" And the bookcase said, "Yes, please."

So the furniture went strolling for an hour on the shore.
But the clock and lamp weren't able and remained there as before.
In the empty house they grumble that the others shouldn't roam.
But they know that life is like that: those who don't have legs stay home.

הָרָהִיטִים

אוּלַי נֵצֵא קְצָת לְטַיֵּל, אָמַר הַכִּסֵּא לַשֻּׁלְחָן.
הָרַגְלַיִם נוֹרָא כּוֹאֲבוֹת לִי, כְּשֶׁאֲנִי עוֹמֵד כָּךְ כָּל הַזְּמַן.
זֶה עוֹד כְּלוּם, נֶאֱנַח הַשֻּׁלְחָן וְהוֹסִיף: לִי כּוֹאֵב הַגּוּף כֻּלּוֹ.
אָז קָדִימָה, בּוֹא נֵצֵא לַדֶּרֶךְ, יֵשׁ לָנוּ רַגְלַיִם, לֹא?

מֻתָּר לִי גַּם לְהִצְטָרֵף? שָׁאַל הַמִּזְנוֹן בְּלַחַשׁ.
רַק אַל תֵּלְכוּ מַהֵר מִדַּי, אֲנִי כָּבֵד שֶׁזֶּה פַּחַד.
הַבֶּטֶן שֶׁלִּי מְלֵאָה בְּכוֹסוֹת, צַלָּחוֹת, קְעָרוֹת וְסִירִים.
גַּם אַתָּה מִצְטָרֵף אֵלֵינוּ? שָׁאַל אֶת אֲרוֹן הַסְּפָרִים.

יָצְאוּ לָהֶם כָּל הָרָהִיטִים לְטִיּוּל עַל שְׂפַת-הַיָּם.
רַק אֶת הַמְּנוֹרָה וְאֶת הַשָּׁעוֹן הֵם לֹא לָקְחוּ אִתָּם.
הַשְּׁנַיִם נִשְׁאֲרוּ בַּבַּיִת הָרֵיק, עֲצוּבִים וְאֻמְלָלִים.
כָּכָה זֶה: מִי שֶׁאֵין לוֹ רַגְלַיִם, לֹא יוֹצֵא לְטִיּוּלִים.

Het Meubilair

Gaat u mee een eindje wand'len? vroeg de tafel aan de stoel.
Van dat stilstaan in de kamer krijg ik toch zo'n stijf gevoel.
Inderdaad, zo sprak de stoel, ik word óók wel een tikje stijf.
Kom, we gaan, we hebben toch tenslotte poten aan ons lijf.

Mag ik u dan vergezellen? vroeg het eikenhout dressoir.
Maar ik loop een beetje langzaam, want ik ben zo vreselijk zwaar.
Al die kopjes en die borden en die glazen in mijn maag.
Gaat u ook mee, boekenkastje? En de boekenkast zei: Graag.

Zo ging het meubilair een eindje wand'len langs de zee.
Niet de klok en niet de lamp, die mochten allebei niet mee.
Dus die staan nu wat te kniezen in het grote lege huis.
Tja, zo gaat het in dit leven: wie geen poten heeft, blijft thuis.

Studeerkamer

غرفة الدراسة

חֲדַר הָעֲבוֹדָה

Study

هل كانت الحلويات لذيذة في غرفة الاستقبال؟ هل كنت تحب أن تجلس هناك طول اليوم؟ ادخل، فعقلك أيضا في حاجة للتذوق. نسمي هذا غداء الروح. التعلم ممتع، واذا كان جيدا تعرف بالضبط كيف يجب ذلك. في السنوات القليلة الماضية كنت موهبة طبيعية. فكان التعلم طبيعيا.

سالت: "لماذا السماء زرقاء؟" "لماذا الثلج بارد؟" "لماذا يموت القط؟" "لماذا أنا في سن الرابعة؟" لماذا، لماذا طول اليوم. كنت تتعلم بسرعة، كالقطار، كالصاروخ. ستتلقى أجوبة على كل تلك الأسئلة، وهكذا تصير كل يوم أكثر حكمة.

تتعلم بشكل أكثر من الأسئلة. بعض الأشخاص يتوقفون في يوم ما عن طرح الأسئلة لأنهم يعتقدون أنهم يعرفون كل شيء، ولكن الذي يتوقف عن طرح الأسئلة لن يتطور. يجب على الذي يريد معرفة الكثير، أن يستمر في طرح الأسئلة، ولو بلغت سن الثمانين.

ليس من الضروري أن تبدأ تلك الأسئلة بلماذا؟ يمكن أيضا أن تبدأ بكيف، ماذا، أين، ومن. مثلا: من هو جدي؟ أين كان يعيش؟ بماذا كان يؤمن؟ كيف التقى بجدتي؟ والسؤال الأهم هو دائما لماذا: لماذا أنا موجود هنا؟

נֶהֱנֵיתֶם מֵהַעֻגִיּוֹת בַּחֲדַר הַמְּגוּרִים? הֱיִיתֶם מַעֲדִיפִים אוּלַי לְהִשָּׁאֵר שָׁם כָּל הַיּוֹם? בּוֹאוּ, הִכָּנְסוּ לַחֲדַר הָעֲבוֹדָה. גַּם הַמֹּחַ שֶׁלָּכֶם רוֹצֶה קְצָת מָזוֹן. מָזוֹן רוּחָנִי, כָּךְ קוֹרְאִים לָזֶה.

זֶה כֵּיף לִלְמֹד, וְגַם פָּשׁוּט. הֲרֵי עַד לִפְנֵי כַּמָּה שָׁנִים הָיָה לָכֶם כִּשָּׁרוֹן טִבְעִי לִלְמֹד. הֱיִיתֶם לוֹמְדִים בְּלִי לְהִתְאַמֵּץ. "לָמָּה הַשָּׁמַיִם כְּחֻלִּים?" הֱיִיתֶם שׁוֹאֲלִים. "לָמָּה הַשֶּׁמֶשׁ חַמָּה?" "לָמָּה הֶחָתוּל מֵת?" "לָמָּה אֲנִי בַּת אַרְבַּע?" כָּל הַיּוֹם רַק לָמָּה וְלָמָּה. וְלִמַּדְתֶּם הָמוֹן. בְּלִי הַפְסָקָה. בְּלִי בְּעָיָה. בְּצַ'יק! כִּי לְכָל שְׁאֵלָה קִבַּלְתֶּם תְּשׁוּבָה. וְכָךְ הָלַכְתֶּם וְהֶחְכַּמְתֶּם.

הַדֶּרֶךְ הַטּוֹבָה בְּיוֹתֵר לִלְמֹד הִיא לִשְׁאֹל שְׁאֵלוֹת. יֵשׁ אֲנָשִׁים שֶׁמַּפְסִיקִים יוֹם אֶחָד לִשְׁאֹל, כִּי נִדְמֶה לָהֶם שֶׁהֵם כְּבָר יוֹדְעִים הַכֹּל. אֲבָל מִי שֶׁמַּפְסִיק לִשְׁאֹל, מַפְסִיק לְהִתְקַדֵּם. בְּקִצּוּר: מִי שֶׁרוֹצֶה לָדַעַת הַרְבֵּה, צָרִיךְ לְהַמְשִׁיךְ וְלִשְׁאֹל שְׁאֵלוֹת. אֲפִלּוּ עַד גִּיל שְׁמוֹנִים.

בָּרוּר שֶׁלֹּא כָּל הַשְּׁאֵלוֹת חַיָּבוֹת לְהַתְחִיל בְּ"לָמָּה". אֶפְשָׁר גַּם לִשְׁאֹל: אֵיךְ, מָתַי, אֵיפֹה אוֹ מִי. לְמָשָׁל: מִי הָיָה סַבָּא שֶׁלִּי? אֵיפֹה הוּא חַי? בְּמָה הוּא הֶאֱמִין? אֵיךְ הוּא פָּגַשׁ אֶת סָבְתָא?

אֲבָל הַשְּׁאֵלָה הֶחָשׁוּבָה מִכָּל הַשְּׁאֵלוֹת, מַתְחִילָה בְּכָל זֹאת בְּ"לָמָּה": לָמָּה בְּעֶצֶם אֲנִי קַיָּם?

How were the biscuits in the living room? Would you prefer to stay there all day? Hurry on out now, because your brain wants to taste something too. Food for the mind, we call it. Learning is fun, and with any luck you know just how to do it. Because a few years ago you were a natural. Back then, learning was completely automatic.

"Why is the sky blue?" you asked. "Why is snow cold?" "Why did the cat have to die?" "Why am I four?" Why, why, why, the whole day long. And you learnt quickly, like a rocket, you were in such a hurry. Because with any luck you got answers to all those questions and grew wiser every day. There's nothing you learn from quite as much as questions. Some people stop asking questions because they think they already know all the answers, but people who stop asking questions stop developing. That means if you want to know a lot, you have to keep asking, even if you're eighty.

Of course, those questions don't all start with why, they can also start with how, what, where or who. For instance: Who was my grandpa? Where did he live? What did he believe? How did he meet my grandma? And then there's the most important question of all, and that's another why question: Why am I actually here?

Hoe smaakten de koekjes in de woonkamer? Was je daar misschien het liefst de rest van de dag gebleven? Kom toch maar gauw binnen, want je hersens willen graag ook wat proeven. Voedsel voor de geest noemen we dat. Leren is leuk, en als het goed is weet je nog precies hoe het moet. Want een paar jaar geleden was je een natuurtalent. Toen ging leren nog helemaal vanzelf. 'Waarom is de lucht blauw!' vroeg je. 'Waarom is sneeuw koud?' 'Waarom gaat de poes dood?' 'Waarom ben ik vier?' Waarom, waarom de hele dag door. En je leerde als een tierelier, als een trein, als een raket met haast. Want als het goed is kreeg je op al die vragen antwoord en zo werd je iedere dag wijzer.

Van vragen leer je het meest. Sommige mensen stoppen op een dag met vragenstellen omdat ze denken dat ze alles al weten, maar wie stopt met vragen blijft stilstaan. Wie veel wil weten moet dus blijven vragen, ook al ben je al tachtig.

Die vragen hoeven natuurlijk niet allemaal te beginnen met waarom, ze kunnen ook beginnen met hoe, wat, waar en wie. Bijvoorbeeld: wie was mijn opa? Waar leefde hij? Wat geloofde hij? Hoe heeft hij mijn oma ontmoet? En dan de allerbelangrijkste vraag, dat is dan toch weer een waaromvraag: waarom ben ík er eigenlijk?

At the Henderson Place

There's always a party at the Henderson place.
If it's not the cat's birthday, someone just won a race.
Or Johnny's come home with a brilliant report.
Or Suzy's decided to cut her hair short.

All plans there go wrong or get lost without trace.
It's all go-go-go at the Henderson place.
Mum is painting the walls or Dad's scrubbing the kettle,
Or Jimmy's sat down on a big stinging nettle.

But then the piggy banks get turned upside down,
And all of the Hendersons go into town.
They go straight to a shop, but don't dawdle inside.
They hurry back out, holding parcels with pride.

And when they get back to the Henderson house,
The children are quieter than even a mouse,
And in every corner, wherever you look,
You see little Hendersons deep in a book.

في بيت عائلة الهوبال

في بيت عائلة الهوبال هناك دائماً حفلة،
لأن القط له عيد الميلاد (أو مرمنذ فترة)،
أو يوب الهوبال حصل على نتائج جيدة،
أو ميس الهوبال قصت شعرها مرة ثانية.

دائماً هناك شيء غريب أو مشكوك فيه، أو يفقد شيء ما،
دائماً يحذث شيء ما في بيت عائلة الهوبال،
الأب ينظف أو الأم تصبغ،
أو ياب يذهب ليجلس في القراص...

وفي يوم ما أخذ أفراد عائلة الهوبال،
من حصالتهم كل نقودهم،
ليذهبوا إلى الدكان ويعودوا بسرعة،
كل واحد في يده علبة.

وبعد ذلك يصمت الجميع صمت الفئران،
ويسود سكوت تام في بيت عائلة الهوبال.
وأينما نظرت، في كل زاوية،
ترى أحد أفراد عائلة الهوبال وفي يده كتاب للقراءة.

Bij de Hubbeltjes thuis

Bij de Hubbeltjes thuis is het altijd feest,
Want de kat is jarig (of pas geweest),
of Joep Hubbeltje heeft zo'n mooi paasrapport,
of Mies Hubbeltje heeft d'r haar weer kort.

Er is altijd iets vreemds, of iets weg, of niet pluis,
altijd iets aan de hand bij de Hubbeltjes thuis,
pa staat te poetsen of ma staat te witten,
of Jaap is in de brandnetels gaan zitten...

Maar op zekere dag pakken de Hubbeltjes
uit hun spaarpotten al hun dubbeltjes,
ze gaan naar een winkel en komen vlug,
elk met een pakje bij zich, terug.

En even daarna zijn ze stil als een muis,
is het vreselijk stil bij de Hubbeltjes thuis.
En waar je ook kijkt, in iedere hoek,
zie je allemaal Hubbeltjes met een boek.

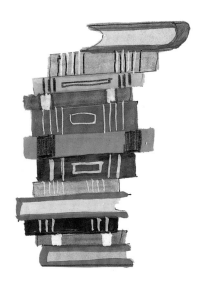

בְּבֵית מִשְׁפַּחַת בּוּבֶּלֶה

25

בְּבֵית מִשְׁפַּחַת בּוּבֶּלֶה תָּמִיד נוֹרָא שָׂמֵחַ,
לְכֻלְבָלָב יֵשׁ יוֹמוּלֶדֶת, לֶחָתוּל אוֹרֵחַ,
אוֹ שֶׁדְּנִי בֶּחָצֵר גִּלָּה פִּתְאוֹם אוֹצָר,
אוֹ שֶׁדָּנָה הִסְתַּפְּרָה נוֹרָא נוֹרָא קָצָר.

בְּבֵית מִשְׁפַּחַת בּוּבֶּלֶה תָּמִיד קוֹרִים דְּבָרִים
מְשֻׁגָּעִים, מְטֻרְלָלִים אוֹ סְתָם כָּךְ מוּזָרִים.
אַבָּא בַּמִּטְבָּח עָסוּק, אִמָּא בַּעֲצִיצִים,
אוֹ שֶׁאוּרִי מִתְיַשֵּׁב עַל שִׂיחַ שֶׁל קוֹצִים.

אַךְ יוֹם אֶחָד בַּחֹדֶשׁ, וְתָמִיד בְּיוֹם רִאשׁוֹן,
הֵם מוֹצִיאִים אֶת הַכֶּסֶף מִקֻּפַּת הַחִסָּכוֹן,
הוֹלְכִים אֶל הַחֲנוּת וְאַחֲרֵי שָׁעָה קַלָּה
חוֹזְרִים הַבַּיְתָה, כָּל אֶחָד עִם אֵיזוֹ חֲבִילָה.

בְּבֵית מִשְׁפַּחַת בּוּבֶּלֶה אָז שֶׁקֶט מִשְׁתָּרֵר,
לֹא שׁוֹמְעִים שׁוּם קוֹל, רַק אֶת רְשְׁרוּשׁ הַמְאַוְרֵר.
הֵם מִתְפַּזְּרִים בַּבַּיִת, בּוֹחֲרִים לָהֶם פִּנָּה,
וְקוֹרְאִים בַּסֵּפֶר שֶׁקִּבְּלוּ בְּמַתָּנָה.

סוֹפֵר הָאַגָּדוֹת

יֵשׁ אִישׁ אֶחָד שֶׁמַּמְצִיא אַגָּדוֹת.
הַשְׁכֵּם בַּבֹּקֶר הוּא מַתְחִיל לִבְדּוֹת.

מִשֶּׁבַע וָרֶבַע עַד רֶבַע לִשְׁתַּיִם
הוּא כּוֹתֵב עַל פֵּיוֹת וּמַלְאָכִים בַּשָּׁמַיִם,

וּמֵרֶבַע לִשְׁתַּיִם עַד שֵׁשׁ וְעֶשְׂרִים
הוּא כּוֹתֵב עַל נְסִיכִים וּמְלָכִים וְשָׂרִים.

בַּלַּיְלָה, כְּשֶׁהוּא יָשֵׁן, הוּא כּוֹתֵב בַּחֲלוֹם,
קֶסֶת אַחַת שֶׁל דְּיוֹ מַסְפִּיקָה לוֹ רַק לְיוֹם.

מַזָּל שֶׁבַּגִּנָּה שֶׁלּוֹ יֶשְׁנוֹ אֲגַם שֶׁל דְּיוֹ,
שִׂיחִים שְׁחֹרִים צוֹמְחִים מִימִינוֹ וּמִשְּׂמֹאלוֹ.

כְּשֶׁהַסּוֹפֵר צָרִיךְ לְהַמְצִיא אֵיזֶה פִּתְגָּם
הוּא טוֹבֵל אֶת הַנּוֹצָה שֶׁלּוֹ בַּדְּיוֹ שֶׁבָּאֲגַם.

בֵּינְתַיִם הוּא כָּתַב כְּבָר אַלְפֵי אַגָּדוֹת
וַעֲדַיִן הוּא מַמְשִׁיךְ לְהַמְצִיא וְלִבְדּוֹת.

עַד שֶׁיִּכָּתְבוּ כָּל הָאַגָּדוֹת שֶׁבָּעוֹלָם
אוּלַי יִתְרוֹקֵן גַּם הַדְּיוֹ שֶׁבָּאֲגַם.

De Sprookjesschrijver

Ik ken een man die verhaaltjes verzint
en 's morgens al heel in de vroegte begint.

Hij schrijft over heksen en elfen en feeën
van kwart over zessen tot 's middags bij tweeën.

Hij schrijft over prinsen en over prinsessen
Van kwart over tweeën tot 's avonds bij zessen.

Dan slaapt hij en 's morgens begint hij weer vroeg.
Hij heeft aan een inktpotje lang niet genoeg.

Hij heeft in zijn tuin dus een vijver vol inkt,
een vijver door donkere struiken omringd,

en altijd, wanneer hij moet denken, die schrijver,
dan doopt hij zijn kroontjespen weer in de vijver.

Hij heeft nu al tienduizend sprookjes verzonnen
en is nu weer pas aan een ander begonnen.

En als hij daar zit tot het eind van zijn leven,
misschien is die vijver dan leeggeschreven.

كاتب الحكايات

أعرف رجلا يبدع الحكايات
ويبدأ في الصباح باكرا.

يكتب حول الساحرات، والجن والجنيات،
من الساعة السادسة والربع إلى الثانية بعد الزوال.

يكتب حول الأمراء والأميرات
من الثانية والربع إلى السادسة مساء.

وبعد ذلك ينام، ثم يبدأ في الصباح الباكر من جديد.
محبرة واحدة لا تكفيه.

لديه في حديقة بيته بحيرة مليئة بالمداد،
بحيرة محيطة بشجيرات سوداء،

وكلما راودت ذلك الكاتب فكرة،
يغمس ريشته من جديد في البحيرة.

كتب لحد الآن عشرة آلاف حكاية،
وبدأ الآن في حكاية أخرى جديدة.

وإذا جلس هناك إلى آخر أيامه،
قد تجف تلك البحيرة من كثرة الكتابة.

The Man Who Writes Fairy Stories

A fairy story author I know

starts work every day when the roosters crow.

He writes very quickly, he writes without hitches

about fairies and elves and hobgoblins and witches.

He writes about princes, princesses and kings,

and keeps going till six when the dinner bell rings.

The next day he's ready to start over anew.

An inkpot's too little, so what does he do?

At the foot of his garden there's a pond full of ink.

The blackbirds all gather around it to drink.

And whenever that writer feels like a nice break,

he fills all his pens with the ink from that lake.

He's made up ten thousand stories already,

and has plenty more – he's constant and steady.

And if he keeps going and doesn't soon die,

one day he'll have written that pond of his dry.

Weetjes

Facts

Alfabetten

Hebreeuws: 22 letters
Arabisch: 28 letters
Nederlands en Engels: 26 letters

Alphabets

Hebrew: 22 letters
Arabic: 28 letters
Dutch and English: 26 letters

You write Dutch and English from left to right.

You write Hebrew and Arabic from right to left.

تكتب الهولندية والانجليزية من اليسار الى اليمين.

تكتب العربية والعربية من اليمين الى اليسار.

הוֹלַנְדִית וְאַנְגְּלִית כּוֹתְבִים מִשְׂמֹאל לְיָמִין.

עִבְרִית וְעֲרָבִית כּוֹתְבִים מִיָּמִין לִשְׂמֹאל.

Nederlands en Engels schrijf je van links naar rechts.

Hebreeuws en Arabisch schrijf je van rechts naar links.

בְּהוֹלַנְדִית וּבְאַנְגְּלִית כּוֹתְבִים אֶת הַתְּנוּעוֹת
לְיַד הָעִיצוּרִים.
בְּעִבְרִית וּבְעֲרָבִית כּוֹתְבִים אֶת הַתְּנוּעוֹת
מִתַּחַת לָעִיצוּרִים, מֵעֲלֵיהֶם אוֹ בְּתוֹכָם.

In het Nederlands en Engels schrijf je
medeklinkers en klinkers naast elkaar.
In het Hebreeuws en Arabisch schrijf je
klinkers onder, in of boven de medeklinkers.

تكتب الأصوات والحروف جنبا الى جنب في اللغة
الهولندية والانجليزية.
في العربية والعربية تكتب الحركات فوق الحروف،
بداخلها (العربية) وتحتها.

**In Dutch and English you write vowels and
consonants next to each other.**
**In Hebrew and Arabic you write the
vowels under, in or above the consonants.**

الحروف الأبجدية   אוֹתִיּוֹת הָאָלֶפְבֵּית

العبرية: 22 حرف   עִבְרִית: 22 אוֹתִיּוֹת

العربية: 28 حرف   עֲרֶבִית: 28 אוֹתִיּוֹת

الهولندية والانجليزية: 26 حرف   הוֹלַנְדִּית וְאַנְגְּלִית: 26 אוֹתִיּוֹת

تتميز اللغة العبرية بحروف الختام، التي تكتب فقط في نهاية الكلمة
في اللغة العربية يختلف تشكيل الحرف باختلاف موقعه في الكلمة. إما
في البداية، في الوسط أو في النهاية.

In het Hebreeuws bestaan sluitletters die je
alleen aan het einde van een woord schrijft.
In het Arabisch hangt de schrijfwijze van een
letter af van de plaats die hij in het woord heeft.
Er zijn begin-, midden- en eindposities.

בְּעִבְרִית יֵשׁ אוֹתִיּוֹת סוֹפִיּוֹת, שֶׁנִּכְתָּבוֹת רַק בְּסוֹף הַמִּלָּה.
בַּעֲרֶבִית, צוּרַת הָאוֹת תְּלוּיָה בִּמְקוֹמָהּ בְּתוֹךְ הַמִּלָּה. יֵשׁ אוֹתִיּוֹת
הַתְחָלתִיּוֹת, אֶמְצָעִיּוֹת וְסוֹפִיּוֹת.

Hebrew has final letters that are only used at
the end of words.
In Arabic the way a letter is written depends on
its position in the word. There are letters for the
start, middle and end of words.

הַסְּפָרוֹת 0, 1, 2, 3, 4, 5, 6, 7, 8, 9 הֵן בַּמָּקוֹר
סְפָרוֹת עֲרֶבִיּוֹת. בַּעֲרֶבִית יֵשׁ גַּם צוּרָה אַחֶרֶת
לִכְתִיבַת סְפָרוֹת.
בְּעִבְרִית, לָאוֹתִיּוֹת יֵשׁ עֵרֶךְ סִפְרָתִי.

The numerals 0, 1, 2, 3, 4, 5, 6, 7, 8 and 9
originated from Arabic. Arabic also has another
way of writing numerals.
Hebrew letters also have a numerical value.

الأرقام التالية: 0، 1، 2، 3، 4، 5، 6، 7، 8، 9. أصلها عربي. كما
تتوفراللغة العربية أيضا على ترقيم آخر مختلف.
تملك الحروف في اللغة العربية قيمة رقمية زائدة.

De cijfers 0, 1, 2, 3, 4, 5, 6, 7, 8, 9 komen
oorspronkelijk uit het Arabisch. Daarnaast heeft het
Arabisch ook een andere schrijfwijze voor cijfers.
In het Hebreeuws hebben letters ook een
cijferwaarde.

Spel

Kies een taal die niet de jouwe is en schrijf het juiste woord onder de tekening van Fiep.

Game

Choose a language other than your own and write the right word under Fiep's drawing.

32

poes	חָתוּל
cat	قط
בַּיִת	house
بيت	huis
book	boek
סֵפֶר	كتاب
giraffe	גִ'ירָפָה
زرافة	giraf
bad	حمام
אַמְבַּטְיָה	bath
كرسي	כִּסֵּא
stoel	chair

....

....

اللعبة

اختر لغة غير لغتك الأصلية
وأكتب بها الكلمة الصحيحة
تحت رسم فيب.

מִשְׂחָק

בַּחֲרוּ שָׂפָה אַחֶרֶת מֵהַשָׂפָה
שֶׁלָּכֶם וְרִשְׁמוּ אֶת הַמִּלָּה
הַמַּתְאִימָה מִתַּחַת לַצִּיּוּר
שֶׁל פִּיפ.

חֲדַר הַמּוּסִיקָה

Music Room

Muziekkamer

غرفة الموسيقى

שָׁלוֹם לָכֶם, הִכָּנְסוּ. נוּ, הַמֹּחַ עָבַד קָשֶׁה בַּחֲדַר הָעֲבוֹדָה? עַכְשָׁו הִגִּיעַ תּוֹרָן שֶׁל הָאָזְנַיִם. אַתֶּם תִּצְטָרְכוּ אוֹתָן בַּחֶדֶר הַזֶּה.

כָּל אֶחָד יָכוֹל לַעֲשׂוֹת מוּסִיקָה. אוֹמְרִים שֶׁבְּמוּסִיקָה אֶפְשָׁר לְסַפֵּר דְּבָרִים בְּאֹפֶן שֶׁכֻּלָּם יָבִינוּ. גַּם בְּלִי מִלּוֹן, בְּמוּסִיקָה, מִי שֶׁמַּקְשִׁיב הֵיטֵב, מֵבִין בְּעַצְמוֹ אֶת הַסִּפּוּר.

מוּסִיקָה יְכוֹלָה לִגְרוֹם לָנוּ בְּבַת-אַחַת לִהְיוֹת מְאֻשָּׁרִים. אוֹ עֲצוּבִים. אוֹ לְהַלְהִיב אוֹתָנוּ עַד שֶׁבָּא לָנוּ לִקְפּוֹץ וּלְהִשְׁתּוֹלֵל. מִכָּל הַחֲדָרִים בַּבַּיִת הַזֶּה, חֶדֶר הַמּוּסִיקָה הוּא הַקַּל בְּיוֹתֵר. כָּאן מֻתָּר לָכֶם לַעֲשׂוֹת מַה שֶׁאַתֶּם רוֹצִים, לְסַפֵּר כָּל מַה שֶׁבָּא לָכֶם. וְאַתֶּם יוֹדְעִים לָמָּה? כִּי אֵין צְלִילִים אֲסוּרִים.

אֲבָל אַתֶּם צְרִיכִים לְהָעֵז. אַתֶּם צְרִיכִים לְהִשְׁתַּחְרֵר לְגַמְרֵי. וְאַל תַּחְשְׁבוּ: טוֹב, אֲנִי אֶבְחַר בַּמְשֻׁלָּשׁ, כִּי אָז לְפָחוֹת אֲנִי לֹא אֶצְטָרֵךְ לְסַפֵּר כָּל-כָּךְ הַרְבֵּה. תֵּדְעוּ לָכֶם: הַמְשֻׁלָּשׁ יָכוֹל לְסַפֵּר לֹא פָּחוֹת מֵהָרַעֲשָׁן. וְהָרַעֲשָׁן מְסַפֵּר לֹא פָּחוֹת מֵהַנֵּבֶל.

מִי שֶׁמַּרְעִישׁ בָּרַעֲשָׁן, כִּנְרְאֶה מְאֹד כּוֹעֵס.
מִי שֶׁמְנַגֵּן בַּנֵּבֶל, הוּא אוּלַי מְאֹהָב.
וְהַמְשֻׁלָּשׁ נִשְׁמָע כְּמוֹ צִפּוֹר שִׁיר.

תַּגִּידוּ בְּעַצְמְכֶם: אֵיזֶה מִין עוֹלָם הָיָה לָנוּ בְּלִי צִפּוֹרֵי שִׁיר?

Hallo, kom binnen.

Heb je in de studeerkamer je hersens lekker laten werken? Dan zijn nu je oren aan de beurt, want die heb je in deze kamer hard nodig.

Iedereen kan muziek maken. Ze zeggen weleens: met muziek kun je alles vertellen op een manier die iedereen begrijpt. Je hebt geen woordenboek nodig, want wie goed luistert verstaat het hele verhaal vanzelf.

Muziek kan je in één klap gelukkig maken. Of heel droevig. Of heel wild, zodat je wilt stampen en springen. Van alle kamers in dit huis is de muziekkamer de makkelijkste kamer. Je bent er helemaal vrij. Wat je ook wilt zeggen, het is allemaal goed. Dat komt omdat er geen tonen bestaan die verboden zijn.

Maar je moet wel durven. Je moet je he-le-maal laten gaan. Je moet niet denken: ik neem in deze kamer de triangel wel want dan hoef ik tenminste niet zoveel te vertellen. Want vergis je niet: die triangel zegt net zoveel als de ratel. En die ratel zegt net zoveel als de harp.

Wie ratelt is waarschijnlijk boos.
Wie harpt is misschien wel verliefd.
Wie triangelt lijkt op een zingend vogeltje.

En zeg nou zelf: wat zou de wereld zijn zonder zingende vogeltjes?

Hello, come in. Did your brain need to work hard in the study? Now it's your ears' turn and in this room you're going to need them. Everyone can make music. Some people say: with music you can say anything you like in a way everyone can understand. You don't need a dictionary, because people who listen carefully can understand the whole story without even thinking about it.

Music can make you suddenly feel happy. Or very sad. Or very wild, so that you want to jump and stamp your feet. Of all the rooms in this house, the music room is the easiest. You are completely free. Whatever you want to say, you can say it. That's because there are no forbidden notes. But it takes courage. You have to dare to let yourself go. You mustn't think: in this room I'll use the triangle because then I won't have to say too much. Don't kid yourself: that triangle says just as much as the rattle. And that rattle says just as much as the harp.

A rattle player is probably angry.

A harpist might be in love.

A triangle player is like a chirping bird.

And be honest now: what kind of world would it be without chirping birds?

أهلا، تفضل. هل استعملت عقلك جيدا في غرفة الدراسة؟ إذن، الآن جاء دور أذنيك، لأنك ستحتاجها كثيرا في هذه الغرفة.

يمكن للجميع أن يمارس الموسيقى. يقولون أحيانا: يمكن أن تحكي كل شيء عبر الموسيقى بطريقة يفهمها الجميع. لأنك لا تحتاج إلى منجد، لأن الذي يستمع جيدا سيفهم الحكاية كلها بدون مشقة.

يمكن للموسيقى أن تجعلك في لحظة سعيدا. أو حزينا. أو تجعلك حيويا تتحرك وتقفز. غرفة الموسيقى هي الغرفة الأكثر سهولة في هذا البيت. تحس فيها بالحرية. يمكن أن تقول فيها ما تشاء. هذا راجع إلى عدم وجود نغمات ممنوعة.

ولكن يجب أن تكون شجاعا. يجب ان تحرر نفسك. لاتظن مع نفسك: اذا أخذت المثلث في هذه الغرفة، فلن أحتاج الى قول الكثير. لا تخطأ: ذلك المثلث يقول أشياء كثيرة مثل الناقوس الخشبي. والناقوس يقول أشياء كثيرة مثل آلة الهارب.

الذي يطقطق قد يكون غاضبا.

والذي يعزف على آلة الهارب قد يكون مغرما.

والذي يستعمل المثلث يشبه الطائر المغرد.

والآن قل لي أنت بنفسك: كيف سيكون العالم دون الطيور المغردة؟

Dikkertje Dap

Dikkertje Dap klom op de trap
's morgens vroeg om kwart over zeven
om de giraf een klontje te geven.
Dag Giraf, zei Dikkertje Dap,
weet je, wat ik heb gekregen?
Rode laarsjes voor de regen!
't Is toch niet waar, zei de giraf,
Dikkertje, Dikkertje, ik sta paf.

O Giraf, zei Dikkertje Dap,
'k moet je nog veel meer vertellen:
Ik kan al drie letters spellen:
A b c, is dat niet knap?
Ik kan ook al bijna rekenen!
Ik kan mooie poppetjes tekenen!
Lieve deugd, zei de giraf,
kerel, kerel, ik sta paf.

Zeg Giraf, zei Dikkertje Dap,
mag ik niet eens even bij je
stiekem van je nek af glijen?
Zo maar eventjes voor de grap,
denk je dat de grond van Artis
als ik neerkom, heel erg hard is?
Stap maar op, zei de giraf,
stap maar op en glij maar af.

Dikkertje Dap klom van de trap
met een griezelig grote stap.
Op de nek van de giraf
zette Dikkertje Dap zich af,
roetsjj, daar gleed hij met een vaart
tot aan 't kwastje van de staart.
Boem!
Au!!

Dag Giraf, zei Dikkertje Dap.
Morgen kom ik weer hier met de trap.

דָן דִיגִידָן

דָן דִיגִידָן קָם בַּבֹּקֶר מֻקְדָּם.
בְּשֶׁבַע וָרֶבַע טִפֵּס בַּסֻּלָּם
כְּדֵי לָתֵת לַגַּ'ירָף קֻבִּיּוֹנַת סֻכָּר.
מַה שְׁלוֹמְךָ? הוּא שָׁאַל וְאַחַר־כָּךְ אָמַר:
נַחֵשׁ מַה קִבַּלְתִּי אֶתְמוֹל מַתָּנָה?
נַעֲלַיִם אֲדֻמּוֹת לְרֹאשׁ הַשָּׁנָה.
מַה אַ־תָּה אוֹמֵר?! קָרָא הַגַּ'ירָף.
נַעֲלַיִם אֲדֻמּוֹת? אֲנִי מַמָּשׁ מְעֻלָּף!

חַכֵּה, אָמַר דָן דִיגִידָן, לֹא סִיַּמְתִּי,
יֵשׁ הֲמוֹן דְּבָרִים שֶׁעוֹד לֹא סִפַּרְתִּי.
אֲנִי יוֹדֵעַ לִכְתּוֹב כְּבָר אַרְבַּע אוֹתִיּוֹת:
אָלֶף, בֵּית, גִּימֶל וְיוֹד.
וַאֲנִי כִּמְעַט יוֹדֵעַ חֶשְׁבּוֹן,
וְגַם לְצַיֵּר עֲפִיפוֹן!
יֹפִי טֹפִי! קָרָא הַגַּ'ירָף.
חֶשְׁבּוֹן וְצִיּוּר, אֲנִי מְעֻלָּף!

רֶגַע, אָמַר דָן דִיגִידָן, עוֹד דָּבָר:
תַּרְשֶׁה לִי לַעֲלוֹת לְךָ עַל הַצַּוָּאר
וְלִגְלוֹשׁ לְמַטָּה עַד הַזָּנָב?
אֲנִי רַק מְקַוֶּוה שֶׁזֶּה לֹא יִכְאַב.
וּמָה יִקְרֶה לִי אִם אֶפֹּל
עַל הָרִצְפָּה, וְלֹא בַחוֹל?
קָדִימָה, אָמַר הַגַּ'ירָף, עֲלֵה
וּגְלוֹשׁ לְמַטָּה, רַעְיוֹן מְעֻלֶּה!

דָן דִיגִידָן הִתְרוֹמֵם וְעָבַר
מִן הַסֻּלָּם אֶל הַצַּוָּאר.
הִתְיַשֵּׁב, נָתַן דְּחִיפָה,
גָּלַשׁ לְמַטָּה בִּתְנוּפָה,
הִגִּיעַ אֶל הַגַּב
וּמִשָּׁם יָשָׁר לַזָּנָב.
בּוּם טְרַח!
אָיי!!

שָׁלוֹם גַּ'ירָף, אָמַר דָן דִיגִידָן,
מָחָר בַּבֹּקֶר אָבוֹא שׁוּב לְכָאן.

Patterson Pepps

Patterson Pepps climbed up the steps
with a sugar cube from the table
and the giraffe came out of his stable.
"Hi, Giraffe," said Patterson Pepps,
"D'you know what Mummy gave me?
Bright red boots for when it's rainy!"
"Can it be true?" said the giraffe.
"Patterson, Patterson, what a laugh."

"Oh, Giraffe," said Patterson Pepps.
"I've got lots more I can tell you.
There's three letters I can spell too:
a b c – that's clever of me!
And I can almost tie my laces!
And I can draw all kinds of faces!"
"Goodness me," said the giraffe,
"boy, oh boy, that's not by halves."

"Hey, Giraffe," said Patterson Pepps,
"do you think I could try riding
on your neck and then try sliding?
Just once to see, if you'll let me.
Sliding down onto the zoo floor
shouldn't make my bottom too sore."
"Climb on up," said the giraffe,
"Climb on up but don't be rough."

Patterson Pepps climbed off the steps
with a scary, great big step.
On the neck of the giraffe,
little Patterson Pepps pushed off.
Whoosh, and with a mighty wail,
he went whizzing to the tail.
Bang!
Ow!!

"Bye, Giraffe," said Patterson Pepps.
"Monday I'll be back here with my steps."

شادي الشاطر

شادي الشاطر في الصبح الباكر
صعد السلم ليعطي الزرافة
حلوة لذيذة وقطعة كنافة.
أهلا زرافة، عندي أخبار.
تعرفين ما أعطتني أمي؟
حذاء أحمر ضد الأمطار.
حقا يا شادي؟ قالت الزرافة.
شادي، شادي، شادي، يا سلام!

فقال شادي: آه يا زرافة،
عندي حكاية وليست خرافة
هل تدرين بأني أعرف
ألف باء تاء، ثلاثة أحرف.
أعرف أيضا بعض الأرقام.
وأنا كذلك أحسن رسام.
الزرافة قالت: ما شاء الله!
شادي، شادي، شادي، ما أحلاه!

قال شادي: آه يا زرافة،
أرجوك دعيني أن أتسلق
عنقك هذا كي أتزحلق.
أرجوك أنا عندي رغبة.
إن اسقط فوق الأرض الصلبة
تعتقدين ستؤلمني؟
الزرافة قالت: هيا وإستعجل!
أصعد عنقي وتزحلق للأسفل.

قفز شادي من الدرج العالي، بشجاعة ولن يخا ف.
ووصل على عنق الزرافة.
ثم تزحلق شادي الشاطر، سريعا كشهاب الليل
حتى وصل إلى الذيل.
رووووووش!
بووووم!
أووووه!

فقال شادي: سلام زرافة!
غدا أعود إ ليك با لسلم وكنافة.

38

שִׁירוּ יַחַד עִם הַתַקְלִיטוֹר   Sing along with the CD!
غني مع أنغام CD!   Zing mee met de CD!

En niemand die luisteren wou

Dit was dan de freule van Roets-Fiedereele,
die iedere dag op de harp zat te spelen,
zij speelde zo prachtig van ring pingeling,
maar niemand die ooit naar haar luisteren ging.
Zij speelde sonates en ook sonatines,
en riep op een keer: Kom, mijn huisknecht Marinus!
Jawel! zei Marinus. Wat is-ter, wat is-ter?
Ga naar de baron, en ga naar de minister,
ga naar de majoor en de kolonel:
ik geef een concert; misschien komen ze wel.

Marinus ging heen, om het mede te delen:
De freule van Roets-Fiedereele zal spelen.
Maar ja, de minister
was ook niet van gister,
en zelfs de baron
zei, dat hij niet kon.
En de kolonel
geloofde het wel,
en ook de majoor
die gaf geen gehoor...
Zo was het nu eenmaal, zo stond het nou,
en niemand en niemand die luisteren wou.

En toen zei de freule van Roets-Fiedereele:
Moet ik dan voor niets op die harp zitten spelen?
Mijn fraaie sonates, mijn pracht-sonatines,
voor helemaal niemand? Kom, huisknecht Marinus!
Ga heen, neem de fiets en ga overal bellen,
ga iedereen van mijn concerten vertellen!
En nodig ze uit! Je moest maar eens gaan
naar de advocaat en de kapelaan;
ga heen, en vertel het ze allemaal:
de ingenieur en de admiraal!

Marinus ging heen om het mede te delen:
De freule van Roets-Fiederele zal spelen!
Maar de kapelaan die vond er niets aan,
de ingenieur
riep: Weg van m'n deur,
de admiraal
was niet muzikaal,
en de advocaat
wou niet meer op straat...
Zo was het nu eenmaal. Zo stond het nou
En niemand en niemand die luisteren wou.

Wel, wel zei de freule van Roets-Fiedereele
voor wie moet ik hier dan de harp zitten spelen?
Och, ga even kijken, mijn huisknecht Marinus,
ga kijken, of ergens nog iemand te zien is.

Marinus zei: Freule, hier te uwen huize
zijn enkel de muizen, alleen maar de muizen.
Wel, zei toen de freule, laat binnen, laat binnen,
dan ga ik meteen mijn concert maar beginnen!
Ze speelde van ping pingeling, pingelang!
Daar kwamen de muizen van achter 't behang,
ze dansten de polka bij deze muziek,
ze waren een dankbaar aandachtig publiek.

En toen het stuk uit was, toen kwam er applaus!
Eén muisje, dat klom in de freule haar kous,
en riep: Zó mooi hebben we nooit horen speulen!
Lang leve de freule! Lang leve de freule!

But No One Would Come Hear Her Play

So there was poor Lady McGilligan-Sharpe,
who spent all her days and nights playing the harp.
She played it so well, with a ding pingaling,
but never was anyone there listening.
She played some sonatas and one sonatina,
and finally called for her maid, Angelina.
"I'm coming!" the maid said, "What is it? What is it?"
"Run off to the prince. Go and ask him to visit.
The major, the colonel, the minister too.
I'm giving a concert for something to do."

The maid saw them all and heard herself saying
that Lady McGilligan-Sharpe would be playing.
The idea made the prince
start to shudder and wince.
"I think concerts are sinister,"
whispered the minister.
"I think they're infernal!"
shouted the colonel.
And the major was busy arranging a wager.
The truth was too bitter on this dreadful day,
because no one, but no one would come hear her play.

"Alas," said Lady McGilligan-Sharpe,
"For whom am I playing my beautiful harp?
My lovely sonatas? My great sonatina?
For no one at all? Come, come, Angelina!
Go up to each house and then ring every bell.
Tell everyone and invite them as well.
Make sure that you call on the abbot and priest.
They're certain to come. They love music at least.
Go on, tell them all, there's no need to feel fear!
Ask the commodore too and that nice engineer."
The maid ran along and heard herself saying
that Lady McGilligan-Sharpe would be playing.

But the priest was recently deceased.
"It's not a good habit,"
insisted the abbot.
"All that music's a bore,"
sniffed the proud commodore.
And the nice engineer
said, "Get outta here!"
The truth was too bitter on this dreadful day,
because no one, but no one would come hear her play.

"Alas," said Lady McGilligan-Sharpe,
"For whom am I playing my beautiful harp?
Please, don't give up, Angelina, my maid.
Is there no one round here who can't be waylaid?"

The maid said, "Milady, in all of your house,
there's no one at all, except maybe a mouse."
"They'll do," said the Lady, who didn't think twice.
"I know what I'll do, I shall play for the mice."
So she played with a ding pingaling pingalong
And the mice all emerged when she burst into song.
They danced jigs and polkas and kicked up their paws,
and finally gave her a hearty applause.

And after she'd played an extended encore,
a mouse that had climbed up her leg from the floor
shouted, "Three cheers for Lady McGilligan-Sharpe!
Three cheers for the Lady and three for her harp!"

ولاأحد يرغب في الاستماع

هذه هي الأميرة الجليلة كلثوم،
التي كانت تعزف على آلة الهارْب كل يوم،
كانت تعزف نغمات جميلة،
ولكن لا أحد يستمع إليها.
كانت تعزف السوناتة والتقاسيم،
ومرة صرخت: تعالي ياخادمي ابراهيم!
نعم سيدتي، ماذا هناك!؟ ماذا هناك!؟
اذهب إلى الوزير، واذهب إلى البارون،
اذهب إلى الرائد، واذهب إلى العقيد:
أنظم حفلة موسيقية، ربما سيحضرون.

ذهب ابراهيم الى هناك، ليبلغهم:
سيدتي الأميرة كلثوم ستغني.
نعم ولكن، الوزير لم يكن جاهلا،
والبارون اعتذر أيضا.
والرائد، آمنا بذلك أيضا العقيد
فلم نسمع منهما شيأ...
هذا هو الحال، هذا هو الواقع،
لا أحد، لا أحد يرغب في الاستماع.

وقالت الأميرة كلثوم:
هل سأعزف على الهارب لوحدي؟
سوناتي الجميلة، وتقاسيمي الرائعة،
دون جمهور! تعالي خادمي ابراهيم!
خذ الدراجة واذهب إلى هناك ودق على جميع الأبواب،
احكي للجميع حول حفلاتي الموسيقية!
لابد أن تذهب و تدعوا الجميع!
ا إلى المحامي وإلى القسيس،
اذهب، واحكي للجميع:
للأميرال والمهندس!

ذهب ابراهيم ليبلغهم:
سيدتي الأميرة كلثوم ستغني!
لم يأت القسيس،
وقال المهندس:
ابتعد عن بابي،
والأميرال
لم يكن يحب الموسيقى،
والمحامي
لم يكن يرغب في الخروج للشارع...
هذا هو الحال، هذا هو الواقع،
ولا أحد، لا أحد يرغب في الاستماع.

أجل، أجل قالت السيدة الأميرة كلثوم
لمن سأعزف هنا على الهارب؟
آه، اذهب ياخادمي ابراهيم،
اذهب وتأكد هل لايزال هناك أحد.

قال ابراهيم: سيدتي، هنا في بيتك
هنا بعض الفئران، لا أحد غير الفئران.
فقالت الأميرة: صحيح، دعهم يدخلون، دعهم يدخلون،
وسأبدأ مباشرة حفلي الموسيقي!
وعزفت نغمات على البيانو،
وخرجت الفئران من خلف الجدران،
ورقصوا البولكا على أنغام تلك الموسيقى،
انه جمهور متحمس جدا.

ومع انتهاء القطعة، تصاعدت التصفيقات!
وصعد فأرفوق جورب الأميرة،
وصرخ: لم نسمع أحدا يعزف عزفا جميلا كهذا من قبل!
عاشت الأميرة! عاشت الأميرة!

וְאַף אֶחָד לֹא בָּא לְהַקְשִׁיב

הִנֵּה הָעַלְמָה הַמְיֻחֶסֶת אִיזֶבֶּל.
כָּל יוֹם הִיא מְנַגֶּנֶת שָׁעָתַיִם בְּנֶבֶל,
פְּלוֹם-פְּלוֹם, פְּלִינְג-פְּלוֹנְג, נִגּוּן כֹּה חָבִיב.
חֲבָל רַק שֶׁאַף אֶחָד לֹא בָּא לְהַקְשִׁיב
כְּשֶׁהִיא מְנַגֶּנֶת סִיבֶּלְיוּס וּבַךְ.
אָז יוֹם אֶחָד הִיא יָרְדָה לַמִּטְבָּח
וְאָמְרָה לְרַב הַמְשָׁרְתִים בֶּלְשַׁאצַר:
גֵּשׁ אֶל הַמֶּלֶךְ וְגַם אֶל הַשַּׂר,
אֶל רֹאשׁ הָעִיר וְאֶל הָאַדְמִירָל
וְהַזְמֵן אוֹתָם לְרֶסִיטָל.
בֶּלְשַׁאצַר עָשָׂה כְּדִבְרֵי הַגְּבִירָה
וְיָצָא מִיָּד לָעִיר הַבִּירָה.

אֲבָל הַשַּׂר אָמַר
שֶׁזְּמַנּוֹ קָצָר,
וְהַמֶּלֶךְ הוֹדִיעַ
שֶׁהוּא לֹא יוֹפִיעַ,
רֹאשׁ הָעִיר טָעַן
שֶׁאֵינוֹ מְעַנְיֵן
וְגַם לָאַדְמִירָל
לֹא הָיָה זְמַן בִּכְלָל.

הַמְתִּינָה הָעַלְמָה כָּל הַחֹרֶף וְכָל הָאָבִיב
אֲבָל אַף אֶחָד, אַף אֶחָד לֹא בָּא לְהַקְשִׁיב.

אָמְרָה הָעַלְמָה הַמְיֻחֶסֶת אִיזֶבֶּל:
אֲנִי לֹא מוּכָנָה לְנַגֵּן סְתָם בְּנֶבֶל
יְצִירוֹת כֹּה יָפוֹת שֶׁל סִיבֶּלְיוּס וּבַךְ!
וְאָז הִיא יָרְדָה שׁוּב אֶל הַמִּטְבָּח
וְאָמְרָה לְרַב-הַמְשָׁרְתִים בֶּלְשַׁאצַר:
קַח אוֹפַנַּיִם וְסַע אֶל הַכְּפָר,
גֵּשׁ אֶל הַכֶּמֶר וְאֶל הָרוֹפֵא,
הֱיֵה מְנֻמָּס וְדַבֵּר יָפֶה,
הַזְמֵן אוֹתָם לָבוֹא, וְאַחֲרֵיהֶם תַּזְמִין
גַּם אֶת הַמְהַנְדֵּס וְאֶת הָעוֹרֵךְ-דִּין.
בֶּלְשַׁאצַר עָשָׂה כְּדִבְרֵי הַגְּבִירָה
וְיָצָא מִיָּד לְהָפִיץ אֶת הַבְּשׂוֹרָה.

אֲבָל הַכֶּמֶר מִלְמֵל:
אֲנִי צָרִיךְ לְהִתְפַּלֵּל.
וְהָרוֹפֵא רָטַן:
הִסְתַּלֵּק מִכָּאן!
הַמְהַנְדֵּס נָבַח:
אֲנִי לֹא אוֹהֵב אֶת בַּךְ!
וְהָעוֹרֵךְ-דִּין
נָתַן לוֹ לְהַמְתִּין...

הַמְתִּינָה גַּם הָעַלְמָה, כָּל הַחֹרֶף וְכָל הָאָבִיב
אֲבָל אַף אֶחָד, אַף אֶחָד לֹא בָּא לְהַקְשִׁיב.

רָטְנָה הָעַלְמָה הַמְיֻחֶסֶת אִיזֶבֶּל:
מָה, אֵין לִי לְמִי לְנַגֵּן כָּאן בְּנֶבֶל?
פָּנְתָה שׁוּב לְרַב-הַמְשָׁרְתִים בֶּלְשַׁאצַר:
חַפֵּשׂ בְּכָל הַבַּיִת, מַהֵר, הַזְמַן קָצָר!
כָּעַס הַמְשָׁרֵת וְאֶת קוֹלוֹ הֵרִים:
בְּבֵיתֵךְ, הָעַלְמָה, יֵשׁ רַק עַכְבָּרִים!
קָרְאָה הָעַלְמָה: יוֹצֵא מִן הַכְּלָל!
הַכְנֵס אוֹתָם פְּנִימָה וְאַתְחִיל בְּרֶסִיטָל!
פָּרְטָה הָעַלְמָה עַל הַמֵּיתָרִים,
יָצְאוּ הָעַכְבָּרִים מִכֹּל הַחוֹרִים
וְהִתְחִילוּ לִרְקֹד לְצְלִילֵי הַנֶּבֶל.
אָח, אֵיזֶה קָהָל! נֶאֱנְחָה אִיזֶבֶּל.

וּבְסוֹף הַקּוֹנְצֶרְט מָחֲאוּ לָהּ כַּפַּיִם
בְּמֶשֶׁךְ שָׁעָה, אוּלַי שְׁעָתַיִם,
וְעַכְבָּר אֶחָד קָרָא: בְּכָל רַחֲבֵי תֵּבֵל
אֵין כְּמוֹ הָעַלְמָה הַמְיֻחֶסֶת אִיזֶיבֶּל!

44

חֲדַר הַמְּלָאכָה

Studio

ورش الرسم

Atelier

تفضّل، أين كنت كل هذا الوقت؟ اعتقدنا أنك تهت في الموسيقى. ولكن في هذه الغرفة يمكنك أن تفقد نفسك: أنت هنا في الورش. يمكنك أن تصنع هنا شيئاً يدوم. شيئاً يمكن النظر إليه حين تنتهي منه.

بعض الأعمال الفنية تعيش طويلا وتستمر في الوجود بعد ألف سنة. المتاحف مليئة بها. أولئك الفنانون أبدعوا في رسم مزهرية أو في تزيين دملج. طبعا لم يكونوا يعرفون حينئذ أن أحفاد أحفادهم سيستمتعون بمشاهدة أعمالهم في أحد المتاحف بعد ألف سنة.

والآن جاء دورك. ماذا سترسم في الورش. لدينا فكرة. كل هذه الأشجار التي ترى رسمها هنا فيب فستندورب. ربما يجب عليك أنت أيضا رسم شجرة، ولديك الحرية في اختيار شكلها.

أتدري؟

سنخصص لك صفحة بيضاء في هذا الكتاب، لتكون شجرتك بين أشجار فيب. ومن يدري، ربما سيجد أحفاد أحفادك بعد عشرة قرون هذا الكتاب في علية مغبرة. وسيذهبون به عام 3010 إلى متحف وستوضع شجرتك في خزانة زجاجية. وسيكتب بجانبها: رسم هذه الشجرة رسام شاب من الزمن الرقمي.

אֵיפֹה הָיִיתָ כָּל הַזְּמַן? חָשַׁבְנוּ שֶׁשִּׁקַּעְתָּ ... ... אוֹתָנוּ.
... הַמְּלָאכָה. גַּם בַּחֶדֶר הַזֶּה אֶפְשָׁר לְשַׁכֹּחַ ... ... לִיצֹר מַשֶּׁהוּ שֶׁיִּשָּׁאֵר אִתְּכֶם, מַשֶּׁהוּ ... לְהַבִּיט בּוֹ, לִרְאוֹת אוֹתוֹ. יְצִירָה.
... אֳמָנוּת שֶׁמַּמְשִׁיכוֹת לְהִתְקַיֵּם אֲפִילוּ אֶלֶף שָׁנָה. ... אוֹתָן בַּמּוּזֵיאוֹן. הָאֳמָנִים שֶׁיָּצְרוּ אוֹתָן הָיוּ ... בִּצְבִיעַת כַּד, לְמָשָׁל, אוֹ בַּחֲרִיטַת צָמִיד. הֵם ... שֶׁכַּעֲבֹר אֶלֶף שָׁנָה יָבֹאוּ הַנִּינִים שֶׁל הַנִּינִים ... לִרְאוֹת אֶת הַיְצִירָה שֶׁלָּהֶם בַּמּוּזֵיאוֹן.
... לִיצֹר יְצִירָה אֲמָנוּת. נָנִיחַ, לְצַיֵּר צִיּוּר. מַה ... ... לָנוּ רַעְיוֹן. אֶת כָּל הָעֵצִים בַּחֶדֶר הַזֶּה צִיְּרָה ... אוּלַי גַּם אַתֶּם תְּצַיְּרוּ עֵץ? וְתַחְלִיטוּ לְבַד
... נְשָׁאִיר דַּף רֵיק בַּסֵּפֶר, וְכָל אֶחָד יוּכַל ... ... שֶׁלּוֹ בֵּין כָּל הָעֵצִים שֶׁל פִיפּ. מִי יוֹדֵעַ, אוּלַי ... שֶׁל הַנִּינִים שֶׁלָּכֶם יִמְצְאוּ אֶת צִיּוּר הָעֵץ ... שָׁנָה בְּאֵיזוֹ עֲלִיַּת-גַּג מְאֻבֶּקֶת. וְאָז, ... יָבִיאוּ אֶת הַצִּיּוּר שֶׁלָּכֶם לַמּוּזֵיאוֹן, וְשָׁם ... זְכוּכִית וְיִכְתְּבוּ מִתַּחְתָּיו: "הָעֵץ הַזֶּה צֻיַּר ... לִית עַל-יְדֵי אָמָּן צָעִיר בְּיוֹתֵר."

... , what's been keeping you? We ... ... just have got completely lost in the ... ... can get lost in this room too: ... you're in the studio. Where you can ... ng lasting. Something you can look ... ished. Some works of art last so ... still exist thousands of years later. ... full of them. Those artists got ... t in painting a vase or decorating a ... urse they didn't know then that ... at-great-grandchildren were ... e their work a millennium later in

... r turn. What are you going to ... dio? We've got an idea for you. ... u can see here were done by Fiep ... Maybe you can draw a tree too? ... ny way you like.

... ge in this book for you so that ... and among Fiep's trees. And who ... your hyper-great-super- ... will find this book ten centuries ... usty attic. Then they'll take it to a ... year 3010 and the museum will ... display in a glass case. With a ... ee by a very young artist in the

Kom verder, waar bleef je zolang? We dachten: die heeft zich helemaal verloren in de muziek. Maar in deze kamer kun je jezelf ook verliezen: je bent hier namelijk in het atelier. Je kunt hier iets maken dat blijft. Iets waar je naar kunt kijken als het af is. Sommige kunstwerken blijven zó lang dat ze duizend jaar later nog bestaan. De musea staan er vol mee. Die kunstenaars hebben zich ooit helemaal verloren in het beschilderen van een vaas, of in het versieren van een armband. Ze wisten toen natuurlijk niet dat hun hyperachterkleinkinderen hun kunstwerk een millennium later zouden kunnen bewonderen in een museum.

En nu ben jij dus aan de beurt. Wat ga je tekenen in het atelier? Wij hebben eigenlijk wel een idee. Alle bomen die je hier ziet zijn gemaakt door Fiep Westendorp. Misschien moet jij ook een boom tekenen en je mag zelf weten hoe die boom eruit ziet.

Weet je wat?

We maken in dit boek een bladzijde voor je vrij, zodat jouw boom tussen de bomen van Fiep komt te staan. En wie weet vinden jouw hyperbetoversuperachterkleinkinderen over tien eeuwen dit boek ergens op een stoffige zolder. Dan brengen ze het in het jaar 3010 naar een museum en wordt jouw boom in een glazen kastje uitgestald. Er staat dan bij: boom gemaakt door een zeer jonge kunstenaar uit het digitale tijdperk.

עֵץ כָּחֹל

"יֵשׁ לָנוּ חֶדֶר מְיֻחָד לָאוֹרְחִים," אוֹמֶרֶת יָנְקֶה לְיִיפּ. "אַתָּה בָּא לִרְאוֹת?"

"כֵּן," אוֹמֵר יִיפּ וְהוֹלֵךְ אִתָּהּ לִרְאוֹת אֶת הַחֶדֶר.

"הִנֵּה, זֶה הַחֶדֶר לָאוֹרְחִים," אוֹמֶרֶת יָנְקֶה בְּגַאֲוָה. "יָפֶה, לֹא? וְדוֹד שֶׁלִּי בָּא לְהִתְאָרֵחַ אֶצְלֵנוּ."

"הַדּוֹד הַזֶּה עִם הַזָּקָן?" שׁוֹאֵל יִיפּ.

"כֵּן, הַדּוֹד עִם הַזָּקָן."

"הַקִּירוֹת נוֹרָא לְבָנִים," אוֹמֵר יִיפּ. "יוּ, אֵיזֶה קִירוֹת לְבָנִים יֵשׁ לַחֶדֶר הַזֶּה!"

"נָכוֹן, אוֹמֶרֶת יָנְקֶה, "הֵם מַמָּשׁ לְבָנִים."

"אוּלַי נְצַיֵּר עֲלֵיהֶם פְּרָה?" אוֹמֵר יִיפּ. "אֲנִי יוֹדֵעַ לְצַיֵּר פְּרָה. בּוֹאִי נְצַיֵּר מַשֶּׁהוּ עַל הַקִּיר."

"לָמָּה?" שׁוֹאֶלֶת יָנְקֶה.

"הוּא לָבָן מִדַּי," אוֹמֵר יִיפּ.

"אֲבָל לֹא פְּרָה," אוֹמֶרֶת יָנְקֶה. "נְצַיֵּר בַּיִת יָפֶה. וְאֳנִיָּה. בְּסֵדֶר."

יָנְקֶה הוֹלֶכֶת לְהָבִיא צְבָעִים.

הֵם מְצַיְּרִים בַּיִת. וְאֳנִיָּה. וּמַיִם. וְעֵץ. הַצִּיּוּר יוֹצֵא מַמָּשׁ נֶהְדָּר. וְגָדוֹל כָּל-כָּךְ.

"עוֹד עֵץ," אוֹמֶרֶת יָנְקֶה.

"אִי אֶפְשָׁר," אוֹמֵר יִיפּ, "נִגְמַר לָנוּ הַיָּרֹק."

"אָז אֲנִי אֲצַיֵּר עֵץ כָּחֹל," מִתְעַקֶּשֶׁת יָנְקֶה.

וְהִיא מְצַיֶּרֶת עֵץ כָּחֹל.

"קִלְקַלְתְּ אֶת זֶה!" אוֹמֵר יִיפּ. "עַכְשָׁו כָּל הַצִּיּוּר מְכֹעָר! אֵין עֵצִים כְּחֻלִּים."

וְהֵם רָבִים קְצָת.

וְאָז נִכְנֶסֶת אִמָּא שֶׁל יָנְקֶה לַחֶדֶר.

אִמָּא שֶׁל יָנְקֶה מְאֹד כּוֹעֶסֶת. "צִיַּרְתֶּם עַל הַקִּיר!" הִיא קוֹרֵאת. "הֲרֵי אַתֶּם יוֹדְעִים שֶׁאָסוּר!"

"אֲבָל צִיַּרְנוּ אֶת זֶה בִּשְׁבִיל הַדּוֹד..." בּוֹכָה יָנְקֶה. "הוּא בֶּטַח יֹאהַב אֶת זֶה."

אֲבָל אִמָּא שֶׁל יָנְקֶה עֲדַיִן כּוֹעֶסֶת. הִיא מַמְשִׁיכָה לִכְעֹס הַרְבֵּה זְמַן. וְהִיא גַּם שׁוֹלַחַת אֶת יִיפּ הַבַּיְתָה.

רַק לְמָחֳרָת יָנְקֶה הוֹלֶכֶת לְיִיפּ.

"אִמָּא שֶׁלָּךְ עוֹד כּוֹעֶסֶת?" שׁוֹאֵל יִיפּ.

"לֹא," אוֹמֶרֶת יָנְקֶה, "כִּי דּוֹד שֶׁלִּי הִגִּיעַ, וְהוּא כָּל-כָּךְ אָהַב אֶת הַצִּיּוּר! אֲפִילוּ אֶת הָעֵץ הַכָּחֹל."

יָנְקֶה מַזְמִינָה אֶת יִיפּ לָבוֹא אִתָּהּ לִרְאוֹת אֶת הַדּוֹד עִם הַזָּקָן.

וְאִמָּא שֶׁל יָנְקֶה אוֹמֶרֶת: "יְלָדִים רָעִים! לִכְלַכְתֶּם אֶת הַקִּיר." אֲבָל הִיא כְּבָר קְצָת מְחַיֶּכֶת.

شجرة زرقاء

قالت يانك "لدينا غرفة للضيوف."

"تعالى، انظر ييب؟"

أجاب ييب "نعم"، ثم ذهب ليشاهد.

قالت يانك باعتزاز "هذه غرفة الضيوف."

"جميل! عمي سيأتي للمبيت."

"عمك ذواللحية" سأل ييب.

"نعم، ذلك العم ذواللحية."

قال ييب "لون الجدران أبيض." "ياله من لون أبيض في جدران تلك الغرفة!"

"نعم،" قالت يانك. "كلها بيضاء."

قال ييب: "هل نرسم عليه بقرة؟"

"أستطيع أن أرسم بقرة. لنرسم شيأ."

"لماذا؟" سألت يانك.

أجابها ييب "لأنه شديد البيَاض".

"اذن ليست البقرة" قالت يانك. "بيت جميل، وباخرة."

"جيد". جاءت يانك بالأقلام الملونة.

رسما بيتا، وباخرة. وماء، وشجرة. كان الرسم جميلا جدا، وكبيرا.

"لنرسم شجرة أخرى" قالت يانك.

"هذا غير ممكن" يجيب ييب. "لم يبق لي لون أخضر."

"اذن سأرسم شجرة زرقاء" أجابت يانك بتعنت.

ورسمت شجرة زرقاء.

"هذا غير ممكن" قال ييب. "تفسدين اللوحة! الأشجار الزرقاء غير موجودة."

وتخاصما قليلا.

جاءت أم يانك، وكانت غاضبة جدا.

صاحت "الرسم على الجدران! تعرفون أن هذا ممنوع منعا كليا."

"ولكن الرسم للعم..." أجابت يانك باكية.

"هو يرى انه جميل جدا."

رغم ذلك فأم يانك لازالت غاضبة. واستمرت غاضبة لمدة طويلة. وأرسلت ييب الى البيت.

والتقت به يانك من جديد في اليوم التالي.

"ألا تزال أمك غاضبة؟" سأل ييب.

"لا" أجابت يانك. "العم موجود في البيت. وهو مسرور جدا باللوحة. ويرى ان الشجرة الزرقاء جميلة جدا."

وذهب ييب معها الى العم صاحب اللحية.

وقالت أم يانك: المشاغبون. لطخوا كل جدران الغرفة."

ولكنها ضحكت قليلا من جديد.

A Blue Tree

"We've got a guest room too," Janneke says. "Do you want to see it?"

"Okay," Jip says. And he goes to have a look.

"This is the guest room," Janneke says proudly. "Pretty, isn't it? And my uncle's coming to stay."

"The uncle with the beard?" Jip asks.

"Yes, the uncle with the beard."

"The walls are so white," Jip says. "This room has got really white walls."

"Yes," Janneke says. "They're completely white."

"Shall we draw a cow on them?" Jip says. "I can draw cows. Let's draw something on them."

"Why?" asks Janneke.

"Because they're too white," Jip says.

"Not a cow," Janneke says. "A nice house. And a ship."

"Okay." And Janneke gets the crayons.

They draw a house. And a ship. And water. And a tree. It looks really beautiful. And really big.

"Another tree," Janneke says.

"Can't," Jip says. "My green's finished."

"Then I'll do a blue tree," Janneke says stubbornly. And she draws a blue tree.

"You can't do that!" Jip says. "You're making the picture ugly! Trees aren't blue."

And they actually start to fight a little.

And then Janneke's mother comes in. She is very angry.

"Drawing on the walls!" she shouts. "You know very well that's not allowed."

"But it's for Uncle Paul..." Janneke sobs. "He'll really like it."

But Janneke's mother is still angry. And she stays angry for a long time. And she sends Jip off home.

And he doesn't see Janneke again until the next day.

"Is your mother still angry?" Jip asks.

"No," Janneke says. "My uncle's here now. And he really loves the picture. And he thinks the blue tree is beautiful too."

And then Jip is allowed to go and see the uncle with the beard.

And Janneke's mother says, "Those little rascals! Scrawling all over the walls."

But the smile has already come back to her face.

Een blauwe boom

'Wij hebben een logeerkamer,' zegt Janneke.

'Kom je kijken, Jip?' 'Ja,' zegt Jip. En hij gaat mee kijken.

'Dit is de logeerkamer,' zegt Janneke trots.

'Mooi hè?' En mijn oom komt logeren.'

'Die oom met de baard?' vraagt Jip. 'Ja, die oom met de baard.'

'De muren zijn zo wit,' zegt Jip. 'Wat een witte muren in die kamer hè?'

'Ja,' zegt Janneke. 'Helemaal wit.'

'Zullen we er een koe op tekenen?' zegt Jip.

'Ik kan een koe tekenen. Laten we er iets op tekenen.'

'Waarom?' vraagt Janneke. 'Het is te wit,' zegt Jip.

'Dan geen koe,' zegt Janneke. 'Dan een mooi huis. En een schip.'

'Goed.' En Janneke haalt de kleurpotloden.

Ze tekenen een huis. En een schip. En water. En een boom. Het wordt
heel erg prachtig. En zo groot. 'Nog een boom,' zegt Janneke.

'Dat kan niet,' zegt Jip. 'Mijn groen is op.'

'Dan teken ik een blauwe boom,' zegt Janneke koppig.

En ze tekent een blauwe boom.

'Dat kan niet!' zegt Jip. 'Je maakt het schilderij lelijk!
Blauwe bomen bestaan niet.'

En ze krijgen een beetje ruzie.

En dan komt Jannekes moeder. Ze is heel boos.

'Tekenen op het behang!' roept ze. 'Dat weet je toch wel, dat mag
volstrekt niet.'

'Maar het is voor oom...' huilt Janneke. 'Hij vindt het erg mooi.'

Jannekes moeder is toch boos. En ze blijft een hele tijd boos. En ze
stuurt Jip naar huis.

En pas de volgende dag komt Janneke weer bij hem.

'Is je moeder nog boos?' vraagt Jip.

'Nee,' zegt Janneke. 'Want oom is er. En hij is zo blij met het schilderij.
En hij vindt ook de blauwe boom zo mooi.'

En dan mag Jip mee naar de oom met de baard.

En Jannekes moeder zegt: 'Die booswichten! Ze kladden het behang
vol.' Maar ze lacht toch ook alweer een beetje.

52

أشجار فيب   Fiep's trees

עֵצִים שֶׁל פִיפּ   **Bomen van Fiep**

54

يمكنك أن ترسم شجرة هنا.   Draw your own tree.

צַיְּרוּ כָּאן אֶת הָעֵץ שֶׁלָּכֶם.   **Teken hier jouw eigen boom.**

Fiep Westendorp wordt op
17 december 1916 geboren in Zaltbommel.
Al heel jong weet ze dat ze illustrator wil
worden. Een bijzondere keuze. Ze is het enige
meisje op de School voor Kunst Techniek en
Ambacht in Den Bosch. Daarna gaat ze naar de
Kunstacademie in Rotterdam.
Tijdens de Tweede Wereldoorlog vervalst Fiep
persoonsbewijzen (identiteitskaarten) en maakt
situatietekeningen voor de Geallieerden.
Na de bevrijding in 1945 gaat ze voorgoed naar
Amsterdam waar ze werkt als illustrator voor
onder andere de krant Het Parool. Daar begint in
1952, met de verhaaltjes van Jip en Janneke, de
samenwerking met Annie M.G. Schmidt.
Fiep en Annie maken samen heel veel
kinderboeken. Fiep maakt meer dan 5000
tekeningen onder andere bij de verhalen van
Mies Bouhuys over Pim en Pom, en bij de
gedichten van Han G. Hoekstra.
In 1997 krijgt Fiep voor al haar werk een speciale
prijs: het Oeuvre Penseel.
Op 3 februari 2004 overlijdt Fiep en laat ze een
deel van haar erfenis na aan het Joods Historisch
Museum voor het Kindermuseum. Daar wordt in
2006 het Fiep Westendorp Atelier geopend.

Fiep Westendorp

פִיפּ וֶסְטֶנְדוֹרְפּ נוֹלְדָה בְּ-17 בְּדֶצֶמְבֶּר 1916
בְּעִירָה זַלְטְבּוֹמֶל (Zaltbommel), בְּהוֹלַנְד.
כְּבָר בְּגִיל צָעִיר יָדְעָה פִיפּ שֶׁהִיא רוֹצָה לִהְיוֹת מְאַיֶּרֶת. זוֹ
הָיְתָה בְּחִירָה יוֹצֵאת דֹפֶן. הִיא הָיְתָה הַבַּת הַיְחִידָה
בְּבֵית-הַסֵּפֶר לְאָמָּנוּת, טֶכְנִיקָה וּמְלֶאכֶת-יָד, בָּעִיר
סְרְטוֹחֶנְבּוֹס (Hertogenbosch's).
אַחַר-כָּךְ לָמְדָה פִיפּ בָּאָקָדֶמְיָה לְאָמָּנוּת בְּרוֹטֶרְדָם.
בִּזְמַן מִלְחֶמֶת הָעוֹלָם הַשְּׁנִיָּה סִיְעָה פִיפּ לְמַאֲבָק נֶגֶד
הַגֶּרְמָנִים, שֶׁכָּבְשׁוּ אֶת הוֹלַנְד: הִיא זִיְּפָה תְּעוּדוֹת זֶהוּת
וְסִפְּקָה לְבַעֲלוֹת-הַבְּרִית רְשׁוּמֵי שֶׁטַח.
לְאַחַר שִׁחְרוּר הוֹלַנְד בְּ-1954 עָבְרָה פִיפּ לָגוּר בִּקְבִיעוּת
בְּאַמְסְטֶרְדָם, שָׁם עָבְדָה כִּמְאַיֶּרֶת, בֵּין הַשְּׁאָר גַּם בָּעִתּוֹן
"הֶט פָּרוֹל" (Het Parool). בְּ-1952 הֵחֵלוּ לְהִתְפַּרְסֵם בָּעִתּוֹן
סִפּוּרֵי יִיפּ וְיָנֶקֶה. כָּאן הִתְחִיל גַּם שִׁתּוּף הַפְּעֻלָּה בֵּין פִיפּ
וֶסְטֶנְדוֹרְפּ וְסוֹפֶרֶת הַיְלָדִים הַהוֹלַנְדִית אָנִי שְׁמִיט
(Annie M. G. Schmidt). פִיפּ וְאָנִי הוֹצִיאוּ יַחַד סִפְרֵי יְלָדִים
רַבִּים. פִיפּ צִיְּרָה לְמַעְלָה מִ-5000 אִיּוּרִים, בֵּינֵיהֶם אִיּוּרִים
לְסִפּוּרֶיהָ שֶׁל הַסּוֹפֶרֶת מִיס בּאוּהַאוּס (Mies Bouhuys) עַל
הַחֲתוּלִים פִּים וּפוֹם, וְאִיּוּרִים לְשִׁירֵי הַיְלָדִים שֶׁל הָאן
הוּקְסְטְרָה.
בְּ-1979 קִבְּלָה פִיפּ פְּרָס מְיֻחָד עַל מִכְלוֹל עֲבוֹדָתָהּ:
"מִכְחוֹל הַיְצִירָה".
בְּ-3 בְּפֶבְּרוּאָר 2004 נִפְטְרָה פִיפּ וְהוֹרִישָׁה חֵלֶק מֵרְכוּשָׁהּ
לַמּוּזֵיאוֹן הַהִיסְטוֹרִי הַיְהוּדִי בְּאַמְסְטֶרְדָם, עֲבוּר מוּזֵיאוֹן
הַיְלָדִים, שֶׁבּוֹ הוּקַם בְּ-2006 חֲדַר הַמְּלָאכָה עַל-שֵׁם פִיפּ
וֶסְטֶנְדוֹרְפּ.

Fiep Westendorp was born in Zaltbommel on 17 December 1916. She knew that she wanted to be an illustrator from a very early age. It was an unusual choice for a girl and everyone else in her class at art school in 's Hertogenbosch was male. Later she went on to the Rotterdam art academy.

During World War II Fiep forged identity cards and sketched terrain for the Allies.

In 1945, after Holland had been liberated, she settled in Amsterdam where her jobs included working as an illustrator for the newspaper Het Parool. Her collaboration with Annie M.G. Schmidt began in 1952 with the Jip and Janneke stories. Together Fiep and Annie produced a great many children's books.

In her career Fiep did more than 5,000 illustrations for work ranging from Mies Bouhuys's Pim and Pom stories to the poetry of Han G. Hoekstra.

In 1997 Fiep was awarded a special prize for her work as a whole: the Oeuvre Paintbrush.

Fiep died on 3 February 2004, leaving part of her estate to the Jewish Historical Museum for the funding of its Children's Museum, where the Fiep Westendorp Studio was opened in 2006.

ولدت فيب فستندورب

(Fiep Westendorp) في 17 دجنبر عام 1916 بزالط بومل (Zaltbommel). أمنيتها منذ الصغري أن تصبح رسامة. ءانه اختيار متميز. كانت هي الفتاة الوحيدة في مدرسة الفنون التقنية والحرفية بمدينة دين بوش. بعد ذلك التحقت بأكاديمية الفنون بمدينة روتردام. كانت فيب أثناء الحرب العالمية الثانية تزور المعطيات الشخصية (بطاقات الهوية) وتنجز لصالح الحلفاء خرائط سرية.

بعد التحرير (من النازية) سنة 1945 التحقت بمدينة امستردام حيث اشتغلت كرسامة للصحف، من بينها صحيفة هيت بارول(Het Parool). بدأت في سنة 1952 عملها المشترك مع أني م. خ. شميث (Annie M. G. Schmidt) بانجاز رسوم ايضاحية لقصص: يیب و يانك. أنجزت فيب و أني شميث معا عدة كتب للأطفال. أعدت فيب مايزيد عن 5000 رسم ايضاحي لصالح قصص مايس بوهوس حول بيم و بوم، وكذلك أشعار هان خ. هوكسترا (Han. G Hoekstra). نالت فيب سنة 1979 جائزة : مؤلف الريشة المتميزة عن كل أعمالها (Oeuvre Penseel).

توفيت فيب في 3 فبراير عام 2004 ووهبت جزءا كبيرا من ميراثها لقسم الأطفال بمتحف تاريخ اليهود. حيث افتح منذ 2006 ورش فيب فستندورب.

المطبخ

Keuken

Kitchen

הַמִּטְבָּח

בְּבַקָשָׁה לְהִכָּנֵס! אַל תִּתְבַּיְּשׁוּ!

אַתֶּם בֶּטַח נוֹרָא רְעֵבִים אַחֲרֵי הָעֲבוֹדָה הַקָּשָׁה. אָז נִגַּשׁ מִיָּד לַמְּלָאכָה. אֵין לָכֶם מֻשָּׂג מַה מְחַכֶּה לָכֶם בַּמִּטְבָּח שֶׁלָּנוּ. אֵשׁ וְעָשָׁן יַעֲלוּ כָּאן, סִירִים יִרְחֲשׁוּ, מַחֲבָתוֹת יִלְחֲשׁוּ. אֲבָל קֹדֶם צָרִיךְ לִדְאוֹג לַמְּצָרְכִים: בֵּיצָה, קֶמַח, מְעַט חָלָב, צִנְצֶנֶת דְּבַשׁ, תַּפּוּחַ, קְתָלֵי חֲזִיר וְ... רֶגַע, אוּלַי כְּדַאי לְסַפֵּר קֹדֶם מַשֶּׁהוּ שֶׁוַּדַּאי לֹא יְדַעְתֶּם: הַהוֹלַנְדִים אוֹהֲבִים לֶאֱכֹל אֶת הַפֶּנְקֵייק שֶׁלָּהֶם עִם קְתָלֵי חֲזִיר מְטֻגָּנִים.

אֲבָל הַמִּטְבָּח שֶׁלָּנוּ הוּא כַּמּוּבָן לֹא סְתָם מִטְבָּח. הוּא מִטְבָּח עוֹלָמִי! מַגִּיעִים אֵלָיו אוֹרְחִים מִכָּל רַחֲבֵי הָעוֹלָם, וְלֹא כָּל אֶחָד מוּכָן לְהַכְנִיס כָּל דָּבָר לַפֶּה. לָכֵן צָרִיךְ לִבְדּוֹק: הַאִם הָאֹכֶל כָּשֵׁר? מֵאָה אָחוּז חַלָאל? זֶה בָּדוּק? וְ... אֶת הַיָּדַיִם רָחַצְתֶּם?

וּבְכֵן: הַתַּפּוּחַ וְהַבֵּיצָה עוֹבְרִים בְּקַלּוּת לַשָּׁלָב הַבָּא. הַבְּלִילָה לְפַנְקֵייק גַּם כֵּן עוֹבֶרֶת. אֲבָל אֶת קְתָלֵי הַחֲזִיר נַשְׁאִיר בָּאֲרִיזָה. בְּשַׂר חֲזִיר לֹא מַתְאִים לְמִטְבָּח עוֹלָמִי.

בְּקִצּוּר, לִפְנֵי שֶׁמַּתְחִילִים לְבַשֵּׁל, צָרִיךְ לָדַעַת מִי יֵשֵׁב אֶל הַשֻּׁלְחָן.

Come in! Enter! You must be hungry after all that hard work. We'll get straight on with it then. We're going to have things bubbling and simmering, hissing and spitting. Take an apple. Take an egg. Take a rasher of bacon, a jar of honey, some flour and a little milk. We're going to stir, we're going to peel, we're going to whisk, we're going...

Whoa!

Whoa?

Yes, not so fast with all that cookery. This isn't just any kitchen, this is a world kitchen. The guests come from all over and they don't stuff just anything into their mouths. Is the food actually kosher? One hundred percent halal? Absolutely A-OK? And did you wash your hands properly?

Those apples and eggs make it through to the next round, and the pancake batter is all right too, but you can leave that bacon in the packet. Bacon doesn't belong in a world kitchen. Because in some cultures the meat of a pig is against the law. Well, against the dietary law at least. So before you start cooking, you have to know just who's coming to dinner.

So remember: eggs are fine, but forget the bacon.

Kom binnen! Entrée! Je hebt

zeker wel honger gekregen na al dat harde
werken? Dan gaan we nu vlug aan de slag.
We gaan de boel laten pruttelen en sudderen,
laten sissen en spetteren. Men neme een appel.
Men neme een ei. Men neme een lapje spek, een
potje honing, wat bloem en een beetje melk. We
gaan roeren, we gaan schillen, we gaan kloppen,
we gaan ...
Ho!
Ho?
Ja, wacht even met kokkerellen. Je staat niet
zomaar in een keuken, je staat hier in een
wereldkeuken. De gasten komen overal vandaan
en die stoppen niet alles in hun mond. Is het eten
wel koosjer? Honderd procent hallal? Helemaal
in orde? Enne, heb je je handen goed gewassen?
Die appeltjes en eitjes kunnen door naar de
volgende ronde. En het pannenkoekenbeslag
mag ook mee, maar dat spek blijft mooi in de
verpakking zitten. Spek hoort niet in een
wereldkeuken thuis. Vlees van een varken is in
sommige culturen namelijk bij wet verboden.
Nou ja, bij eetwet dan. Dus voordat je gaat koken
moet je goed weten wie er allemaal bij je aan
tafel zitten.
Dus even onthouden: spekpannenkoeken mogen
niet, maar spekkies bij een kopje warme chocola,
dat mag weer wel.

تفضل، ادخل! أكيد أنك جائع بعد كل ذلك
العمل الشاق؟ فلنبدأ الآن مباشرة في تحضير الأكل،
سنحضره على نار هادئة ونتركه ينش ويرش. نحتاج تفاحة،
بيضة، قطعة شحم، وقليلا من العسل والعجين والحليب.
سنحرك، وسنقشر، وسنخفق، وس...
ها!
ها!
انتظر قليلا على الطبخ. لست في مطبخ عادي، بل أنت هنا
في مطبخ عالمي. الضيوف يأتون من جميع أنحاء العالم، ولا
يأكلون كل شيء. هل الأكل كوشر؟ حلال مائة بالمائة؟
الكل على ما يرام. وهل غسلت يديك جيدا؟
يمكن للتفاح والبيض أن يمروا للمرحلة القادمة. ورغيف
الفطور أيضا، لكن قطعة الشحم ستبقى في علبتها.
فالشحم لا مكان له في الطبخ العالمي. لحم الخنزير حرام
في بعض الثقافات العالمية. أقصد في قوانين الطبخ. إذن
قبل بداية الطبخ، يجب أن تعلم جيدا من الذي يجلس
حول مائدة الطعام.
لنتذكر: رغيف بالشحم أمر غير مقبول، ولكن الحلويات
مع فنجان من الكاكاو مقبولة.

Dadels van Kartoem

Koopman, hebt u dadels?
Dadels van Kartoem?
Het doet mij groot verdriet, meneer!
Maar dadels heb ik niet, meneer!
'k Heb heerlijke olijven en mooie ananas,
komt dat misschien van pas?
Ik heb ook lekkere vijgen,
die kunt u volop krijgen.
Maar dadels van Kartoem, meneer,
daarvan heb 'k zelfs geen pondje meer.

تمر الخرطوم

يا تاجر، لديك تمر؟
تمر الخرطوم؟
آسف سيدي!
ليس لدي تمر، سيدي!
لدي زيتون جيد وأناناس جميل،
هل تريده؟
لدي أيضا تين لذيذ،
يمكن أن تحصل عليه بكثرة.
ولكن تمرالخرطوم، سيدي،
لم يبق عندي منه ولو نصف كيلو.

Khartoum Dates

"Grocer do you have some dates?
I'd like to buy some Khartoum dates."
"I'm sorry, sir, I'm sad to say,
I don't have any dates today!
I have some lovely olives, pineapples too.
I recommend them both to you.
I have nice figs, I've figs aplenty.
You could buy ten, you could buy twenty.
But Khartoum dates are all sold out.
Today you'll have to go without."

תְּמָרִים מֵחַרְטוּם

בֹּקֶר טוֹב, אֲדוֹנִי הַמּוֹכֵר,
יֵשׁ לְךָ תְּמָרִים מֵחַרְטוּם?
אֲנִי מִצְטַעֵר, אֲנִי מִצְטַעֵר,
הָיוּ לִי תְּמָרִים, וְאֵין לִי יוֹתֵר.
אֲבָל יֵשׁ לִי אֲנָנָס, רַק הַיּוֹם, רַק הַיּוֹם.
בְּבַקָּשָׁה אֲדוֹנִי, תִּרְצֶה לִטְעוֹם?
יֵשׁ גַּם תְּאֵנִים, מְתֻקּוֹת מִדְּבַשׁ,
זֶה עַתָּה קִבַּלְתִּי, מִשְׁלוֹחַ חָדָשׁ.
אֲבָל תְּמָרִים? לֹא, אֲנִי מִצְטַעֵר,
אֵין לִי אַף תָּמָר יוֹתֵר.

Come on, what's been keeping you? We thought you must have got completely lost in the music. But you can get lost in this room too: because now you're in the studio. Where you can make something lasting. Something you can look at when it's finished. Some works of art last so long that they still exist thousands of years later. Museums are full of them. Those artists got completely lost in painting a vase or decorating a bracelet. Of course they didn't know then that their hyper-great-great-grandchildren were going to admire their work a millennium later in a museum.

So now it's your turn. What are you going to draw in the studio? We've got an idea for you. All the trees you can see here were done by Fiep Westendorp. Maybe you can draw a tree too? You can do it any way you like.
You know what?
We'll clear a page in this book for you so that your tree can stand among Fiep's trees. And who knows, maybe your hyper-great-super-grandchildren will find this book ten centuries from now in a dusty attic. Then they'll take it to a museum in the year 3010 and the museum will put your tree on display in a glass case. With a card saying: a tree by a very young artist in the digital era.

Kom verder, waar bleef je zolang? We dachten: die heeft zich helemaal verloren in de muziek. Maar in deze kamer kun je jezelf ook verliezen: je bent hier namelijk in het atelier. Je kunt hier iets maken dat blijft. Iets waar je naar kunt kijken als het af is. Sommige kunstwerken blijven zó lang dat ze duizend jaar later nog bestaan. De musea staan er vol mee. Die kunstenaars hebben zich ooit helemaal verloren in het beschilderen van een vaas, of in het versieren van een armband. Ze wisten toen natuurlijk niet dat hun hyperachterkleinkinderen hun kunstwerk een millennium later zouden kunnen bewonderen in een museum.

En nu ben jij dus aan de beurt. Wat ga je tekenen in het atelier? Wij hebben eigenlijk wel een idee. Alle bomen die je hier ziet zijn gemaakt door Fiep Westendorp. Misschien moet jij ook een boom tekenen en je mag zelf weten hoe die boom eruit ziet.
Weet je wat?
We maken in dit boek een bladzijde voor je vrij, zodat jouw boom tussen de bomen van Fiep komt te staan. En wie weet vinden jouw hyperbetoversuperachterkleinkinderen over tien eeuwen dit boek ergens op een stoffige zolder. Dan brengen ze het in het jaar 3010 naar een museum en wordt jouw boom in een glazen kastje uitgestald. Er staat dan bij: boom gemaakt door een zeer jonge kunstenaar uit het digitale tijdperk.

تفضل، أين كنت كل هذا الوقت؟ اعتقدنا أنك تهت في الموسيقى. ولكن في هذه الغرفة يمكنك أن تفقد نفسك: أنت هنا في الورش. يمكنك أن تصنع هنا شيئاً يدوم. شيئاً يمكن النظر إليه حين تنتهي منه.

بعض الأعمال الفنية تعيش طويلا وتستمر في الوجود بعد ألف سنة. المتاحف مليئة بها. أولئك الفنانون أبدعوا في رسم مزهرية أو في تزيين دملج. طبعا لم يكونوا حينئذ يعرفون أن أحفاد أحفادهم سيتمتعون بمشاهدة أعمالهم في أحد المتاحف بعد ألف سنة.

والآن جاء دورك. ماذا سترسم في الورش؟ لدينا فكرة. كل هذه الأشجار التي ترى هنا رسمتها فيب فستندورب. ربما يجب عليك أنت أيضا رسم شجرة، ولديك الحرية في اختيار شكلها.

أتدري؟

سنخصص لك صفحة بيضاء في هذا الكتاب، لتكون شجرتك بين أشجار فيب. ومن يدري، ربما سيجد أحفاد أحفادك بعد عشرة قرون هذا الكتاب في علية مغبرة. وسيذهبون به في عام 3010 إلى متحف وستوضع شجرتك في خزانة زجاجية. وسيكتب بجانبها: رسم هذه الشجرة رسام شاب من الزمن الرقمي.

הַכָּנֵסוּ, אֵיפֹה הֱיִיתֶם כָּל הַזְּמַן? חָשַׁבְנוּ שֶׁשְׁקַעְתֶּם בְּמוּסִיקָה וְשָׁכַחְתֶּם אוֹתָנוּ.

הִגַּעְתֶּם לַחֶדֶר הַמְּלָאכָה. גַּם בַּחֶדֶר הַזֶּה אֶפְשָׁר לִשְׁכֹּחַ הַכֹּל. כָּאן תּוּכְלוּ לִיצוֹר מַשֶּׁהוּ שֶׁיִּשָּׁאֵר אִתְּכֶם, מַשֶּׁהוּ שֶׁאֶפְשָׁר יִהְיֶה לְהַבִּיט בּוֹ, לִרְאוֹת אוֹתוֹ. יְצִירָה.

יֶשְׁנָן יְצִירוֹת אָמָנוּת שֶׁמַּמְשִׁיכוֹת לְהִתְקַיֵּם אֲפִילוּ אֶלֶף שָׁנָה. תּוּכְלוּ לִמְצֹא אוֹתָן בְּמוּזֵיאוֹן. הָאָמָנִים שֶׁיָּצְרוּ אוֹתָן הָיוּ שְׁקוּעִים לְגַמְרֵי בְּצָבִיעַת כַּד, לְמָשָׁל, אוֹ בַּחֲרִיטַת צָמִיד. הֵם כְּמוּבָן לֹא יָדְעוּ שֶׁבְּעוֹד אֶלֶף שָׁנָה יָבוֹאוּ הַנְּכָדִים שֶׁל הַנְּכָדִים שֶׁל הַנְּכָדִים שֶׁלָּהֶם לִרְאוֹת אֶת הַיְצִירָה שֶׁלָּהֶם בַּמּוּזֵיאוֹן.

עַכְשָׁו תּוֹרְכֶם לִיצוֹר יְצִירַת אָמָנוּת. נַנִּיחַ, לְצַיֵּר צִיּוּר. מַה תְּצַיְּרוּ? אָה, יֵשׁ לָנוּ רַעְיוֹן. אֶת כָּל הָעֵצִים בַּחֶדֶר הַזֶּה צִיְּרָה פִּיפ וָסְטֶנְדוֹרְף. אוּלַי גַּם אַתֶּם תְּצַיְּרוּ עֵץ? וְתַחְלִיטוּ לְבַד אֵיזֶה.

אַתֶּם יוֹדְעִים מָה? נַשְׁאִיר דַּף רֵיק בַּסֵּפֶר, וְכָל אֶחָד יוּכַל לְצַיֵּר אֶת הָעֵץ שֶׁלּוֹ בֵּין כָּל הָעֵצִים שֶׁל פִּיפ. מִי יוֹדֵעַ, אוּלַי הַנְּכָדִים שֶׁל הַנְּכָדִים שֶׁל הַנְּכָדִים שֶׁלָּכֶם יִמְצְאוּ אֶת צִיּוּר הָעֵץ שֶׁלָּכֶם בְּעוֹד אֶלֶף שָׁנָה בְּאֵיזוֹ עֲלִיַּת־גַּג מְאֻבֶּקֶת. וְאָז, בִּשְׁנַת 3010, הֵם יָבִיאוּ אֶת הַצִּיּוּר שֶׁלָּכֶם לַמּוּזֵיאוֹן, וְשָׁם יַצִּיגוּ אוֹתוֹ בְּאָרוֹן זְכוּכִית וְיִכְתְּבוּ מִתַּחְתָּיו: "הָעֵץ הַזֶּה צֻיַּר בַּתְּקוּפָה הַדִּיגִיטָלִית עַל־יְדֵי אָמָן צָעִיר בְּיוֹתֵר."

עֵץ כָּחוֹל

"יֵשׁ לָנוּ חֶדֶר מְיֻחָד לְאוֹרְחִים," אוֹמֶרֶת יַנְקָה לְיַיף. "אַתָּה בָּא לִרְאוֹת?"

"כֵּן," אוֹמֵר יַיף וְהוֹלֵךְ אִתָּהּ לִרְאוֹת אֶת הַחֶדֶר.

"הִנֵּה, זֶה הַחֶדֶר לְאוֹרְחִים," אוֹמֶרֶת יַנְקָה בְּגַאֲוָה. "יָפֶה, לֹא? וְדוֹד שֶׁלִּי בָּא לְהִתְאָרֵחַ אֶצְלֵנוּ."

"הַדּוֹד הַזֶּה עִם הַזָּקָן?" שׁוֹאֵל יַיף.

"כֵּן, הַדּוֹד עִם הַזָּקָן."

"הַקִּירוֹת נוֹרָא לְבָנִים," אוֹמֵר יַיף. "יוֹ, אֵיזֶה קִירוֹת לְבָנִים יֵשׁ לַחֶדֶר הַזֶּה!"

"נָכוֹן," אוֹמֶרֶת יַנְקָה, "הֵם מַמָּשׁ לְבָנִים."

"אוּלַי נְצַיֵּר עֲלֵיהֶם פָּרָה?" אוֹמֵר יַיף. "אֲנִי יוֹדֵעַ לְצַיֵּר פָּרָה. בּוֹאִי נְצַיֵּר מַשֶּׁהוּ עַל הַקִּיר."

"לָמָּה?" שׁוֹאֶלֶת יַנְקָה.

"הוּא לָבָן מִדַּי," אוֹמֵר יַיף.

"אֲבָל לֹא פָּרָה," אוֹמֶרֶת יַנְקָה. "נְצַיֵּר בַּיִת יָפֶה. וְאֳנִיָּה."

"בְּסֵדֶר."

יַנְקָה הוֹלֶכֶת לְהָבִיא צְבָעִים.

הֵם מְצַיְּרִים בַּיִת. וְאֳנִיָּה. וּמַיִם. וְעֵץ. הַצִּיּוּר יוֹצֵא מַמָּשׁ נֶהְדָּר. וְגָדוֹל כָּל-כָּךְ.

"עוֹד עֵץ," אוֹמֶרֶת יַנְקָה.

"אִי אֶפְשָׁר," אוֹמֵר יַיף, "נִגְמַר לָנוּ הַיָּרֹק."

"אָז אֲנִי אֲצַיֵּר עֵץ כָּחֹל," מִתְעַקֶּשֶׁת יַנְקָה.

וְהִיא מְצַיֶּרֶת עֵץ כָּחֹל.

"קִלְקַלְתְּ אֶת זֶה!" אוֹמֵר יַיף. "עַכְשָׁו כָּל הַצִּיּוּר מְכֹעָר! אֵין עֵצִים כְּחֻלִּים."

וְהֵם רָבִים קְצָת.

וְאָז נִכְנֶסֶת אִמָּא שֶׁל יַנְקָה לַחֶדֶר.

אִמָּא שֶׁל יַנְקָה מְאוֹד כּוֹעֶסֶת. "צִיַּרְתֶּם עַל הַקִּיר!" הִיא קוֹרֵאת. "הֲרֵי אַתֶּם יוֹדְעִים שֶׁאָסוּר!"

"אֲבָל צִיַּרְנוּ אֶת זֶה בִּשְׁבִיל הַדּוֹד..." בּוֹכָה יַנְקָה. "הוּא בֶּטַח יֹאהַב אֶת זֶה."

אֲבָל אִמָּא שֶׁל יַנְקָה עֲדַיִן כּוֹעֶסֶת. הִיא מַמְשִׁיכָה לִכְעֹס הַרְבֵּה זְמַן. וְהִיא גַם שׁוֹלַחַת אֶת יַיף הַבַּיְתָה.

רַק לְמָחֳרָת יַנְקָה הוֹלֶכֶת לְיַיף.

"אִמָּא שֶׁלָּךְ עוֹד כּוֹעֶסֶת?" שׁוֹאֵל יַיף.

"לֹא," אוֹמֶרֶת יַנְקָה, "כִּי דוֹד שֶׁלִּי הִגִּיעַ, וְהוּא כָּל-כָּךְ אָהַב אֶת הַצִּיּוּר! אֲפִלּוּ אֶת הָעֵץ הַכָּחֹל."

יַנְקָה מַזְמִינָה אֶת יַיף לָבוֹא אִתָּהּ לִרְאוֹת אֶת הַדּוֹד עִם הַזָּקָן.

וְאִמָּא שֶׁל יַנְקָה אוֹמֶרֶת: "יְלָדִים רָעִים! לִכְלַכְתֶּם אֶת הַקִּיר."

אֲבָל הִיא כְּבָר קְצָת מְחַיֶּכֶת.

Jip snijdt zich

'Ga je mee? Ik ga in de tuin spelen,' zegt Jip.
'Nee,' zegt Janneke. 'Ik moet appels schillen. Een hele emmer vol
appels. Voor de appelmoes.'
'Ik ga ook appels schillen,' zegt Jip.
'Ik heb maar één mes,' zegt Janneke.
'Dan ga ik eerst een mes halen.' Jip gaat naar huis en haalt een mes.
Uit de keuken.
En hij holt met het mes naar Janneke.
Nu gaat hij appels schillen.
'Kijk,' zegt Janneke. Ik maak hele lange kronkelschillen. Dat is erg
moeilijk. Maar ik kan het al.'
Jip probeert het ook. Hij krijgt er een kleur van. Maar de schil breekt af.
'Zo moet je het doen,' zegt Janneke.
'Kijk, zo.'
Jip doet het zo. Maar... O! Jee!
Au! Daar snijdt hij in zijn duim!
Er komt bloed uit. Wat een schrik!
Jip staat met zijn duim naar boven en kijkt zo angstig.
'Moeder!' roept Janneke.
Daar komt haar moeder aanhollen.
'Wat is er?' roept ze, maar ze ziet het al.
'Wacht,' zegt ze. 'Ik zal de duim verbinden. Ik heb er een mooi lapje
voor. Kom maar mee. Doet het pijn?'
'Ja,' zegt Jip. 'Maar ik huil niet.'
Nee, Jip is heel dapper en hij huilt niet. Hij krijgt een lap om zijn duim.
'Hij wou appels schillen,' zegt Janneke tegen moeder. 'En toen is hij
thuis een mes gaan halen.'
'Ja, dat zie ik,' zegt Jannekes moeder. 'Maar dat mes is ook zo scherp.
Veel te scherp. Voortaan moet je het eerst vragen, hoor Jip, als je een
mes wil hebben. En nu, weet je wat, Janneke mag schillen. En Jip mag
eten. Omdat Jip gewond is, mag hij appeltjes eten.'
Dat is natuurlijk fijn. Want eten is niet moeilijk. Schillen wel.

יִיף נִפְצַע

"אַתְּ בָּאָה? אֲנִי יוֹצֵא לְשַׂחֵק בַּגִּינָּה," אוֹמֵר יִיף.

"לֹא," אוֹמֶרֶת יָנֶקָה. "אֲנִי צְרִיכָה לְקַלֵּף תַּפּוּחִים. יֵשׁ לִי דְּלִי מָלֵא תַּפּוּחֵי-עֵץ. אֲנַחְנוּ מְכִינִים רֶסֶק."

"אָז גַּם אֲנִי אֲקַלֵּף תַּפּוּחִים," אוֹמֵר יִיף.

"אֲבָל יֵשׁ לִי רַק סַכִּין אַחַת," אוֹמֶרֶת יָנֶקָה.

"טוֹב, אָז אֲנִי אֵלֵךְ לְהָבִיא סַכִּין," אוֹמֵר יִיף וְהוֹלֵךְ הַבַּיְתָה לְהָבִיא סַכִּין. מֵהַמִּטְבָּח.

יִיף חוֹזֵר בִּרְיצָה עִם הַסַּכִּין.

עַכְשָׁו גַּם הוּא יָכוֹל לְקַלֵּף.

"תִּרְאֶה," אוֹמֶרֶת יָנֶקָה, "הַקְּלִפּוֹת שֶׁלִּי אֲרֻכּוֹת וּמִתְלַתְּלוֹת. נוֹרָא קָשֶׁה לְקַלֵּף כָּכָה, אֲבָל אֲנִי כְּבָר מְאֻמֶּנֶת."

יִיף מִשְׁתַּדֵּל מְאֹד לְקַלֵּף כְּמוֹ יָנֶקָה. הוּא מִתְאַמֵּץ וּמַסְמִיק כֻּלּוֹ. אֲבָל הַקְּלִפָּה נִקְרַעַת לוֹ.

"בּוֹא, אֲנִי אַרְאֶה לְךָ אֵיךְ מְקַלְּפִים," אוֹמֶרֶת יָנֶקָה. "הִנֵּה, תִּרְאֶה, כָּכָה."

יִיף עוֹשֶׂה בְּדִיּוּק כָּמוֹהָ, אֲבָל...

אוֹי לֹא!

הוּא חָתַךְ לְעַצְמוֹ אֶת הָאֲגוּדָל!

יוֹרֵד לוֹ דָּם!

אִמָּא'לֶה!

יִיף זוֹקֵף אֶת הָאֲגוּדָל. הוּא נִרְאֶה כָּל-כָּךְ מְבֹהָל.

"אִמָּא!" קוֹרֵאת יָנֶקָה.

אִמָּא שֶׁל יָנֶקָה בָּאָה בִּרְיצָה.

"מַה קָּרָה?" הִיא שׁוֹאֶלֶת, אֲבָל אָז הִיא רוֹאָה.

"רַק רֶגַע," הִיא אוֹמֶרֶת, "אֲנִי אֲחַבֵּשׁ לְךָ אֶת הָאֲגוּדָל. בּוֹא, יֵשׁ לִי בִּשְׁבִילְךָ תַּחְבֹּשֶׁת יָפָה. כּוֹאֵב לְךָ?"

"כֵּן" אוֹמֵר יִיף, "אֲבָל אֲנִי לֹא בּוֹכֶה."

לֹא, יִיף לֹא בּוֹכֶה, הוּא מַמָּשׁ גִּבּוֹר. אִמָּא שֶׁל יָנֶקָה חוֹבֶשֶׁת לוֹ אֶת הָאֲגוּדָל.

"יִיף רָצָה גַּם כֵּן לְקַלֵּף תַּפּוּחִים," אוֹמֶרֶת יָנֶקָה לְאִמָּא שֶׁלָּהּ. "הוּא הֵבִיא סַכִּין מֵהַבַּיִת."

"כֵּן, אֲנִי רוֹאָה," אוֹמֶרֶת אִמָּא שֶׁל יָנֶקָה. "אֲבָל זוֹ סַכִּין חַדָּה מְאֹד. חַדָּה מִדַּי. בְּפַעַם הַבָּאָה תִּשְׁאַל לִפְנֵי שֶׁאַתָּה לוֹקֵחַ סַכִּין, יִיף. אַתֶּם יוֹדְעִים מָה? יָנֶקָה, אַתְּ תַּמְשִׁיכִי לְקַלֵּף וְיִיף יֹאכַל. מִי שֶׁנִּפְצַע, מֻתָּר לוֹ לֶאֱכֹל תַּפּוּחִים."

יִיף מַסְכִּים, כַּמּוּבָן, כִּי לֹא קָשֶׁה לֶאֱכֹל, אֲבָל לְקַלֵּף דַּוְקָא כֵּן.

Jip Cuts Himself

"You coming? I'm going to play outside," says Jip.

"Not now," Janneke says. "I have to peel some apples. A whole bucket full of apples. We're going to stew them."

"I can peel apples too," says Jip.

"I've only got one knife," says Janneke.

"I'll go and get one." Jip runs home to fetch a knife. From the kitchen. And he runs back to Janneke's with the knife.

Now he's ready to peel some apples.

"Look," says Janneke. "I can make really long, wriggly peels. It's really hard. But I can do it."

Jip does his best. He tries so hard he turns red. But the peel breaks off.

"You have to do it like this," Janneke says. "Look, like this."

Jip does it like that. But... Oh! Gee! Ow! He's cut his thumb.

Blood comes out. What a shock!

Jip stands there holding his thumb up in the air and looking very frightened.

"Mother!" Janneke calls. Her mother comes running.

"What is it?" she calls, but she's already seen what it is.

"Hang on," she says. "I'll bandage that thumb for you. I've got a nice rag for it. Come with me. Does it hurt?"

"Yes," says Jip. "But I'm not crying."

No, Jip is very brave and he's not crying. Janneke's mother wraps a rag around his thumb as Janneke watches.

"He wanted to peel some apples," she tells her mother. "And then he went home to get a knife."

"Yes, I can see that," her mother says. "But that knife is very sharp. Much too sharp. From now on, ask first, Jip, if you want a knife. And you know what we'll do now? Janneke can peel and Jip can eat. Seeing as Jip is wounded, he can eat some apple." And that's much better. Because peeling is difficult. But eating is easy.

ييب يجرح نفسه

قال ييب: "هل ستذهبين معي؟ سألعب في الحديقة."

"لا" أجابت يانك. "يجب أن أقشر التفاح. سطل مليئ بالتفاح، لتحضير التفاح المطحون." قال ييب: "أنا أيضا ساقشر التفاح."

قالت يانك: "ولكن عندي سكين واحدة فقط."

"سأحضر لك السكين أولا. "ذهب ييب إلى البيت وجاء بها من المطبخ. واسرع بالسكين نحو يانك.

والآن سيقشر التفاح.

"انظر" قالت يانك. "أصنع من القشرة قطعا ملتوية طويلة جدا. هذا صعب جدا، ولكنني أستطيع ذلك."

حاول ييب أن يقوم بنفس الشيء. وتغير لون بشرته، لأن القشرة تنكسر.

قالت يانك: "يجب أن تفعل هكذا،"

"انظر، هكذا."

فعل ييب ذلك، ولكن...آه!

آو! ها هو لقد جرح إبهامه!

الدم يسيل. يا له من ذعر!

رفع ييب إبهامه نحو الأعلى وعلامات الخوف بادية عليه.

"امي!" صاحت يانك.

جاءت الأم مسرعة، وقالت:

"ماذا وقع؟" لكنها رأت ذلك بعينها.

قالت "انتظر، سأضمد إبهامك. لدي قطعة قماش جميلة. اتبعني. هل تؤلمك؟"

"نعم" أجاب ييب "ولكنني لا أبكي."

لا، ييب شجاع وهو لا يبكي. ووضع إبهامه في قطعة القماش.

قالت يانك لأمها: "كان يريد أن يقشر التفاح. وذهب إلى البيت ليأخذ السكين."

قالت أم يانك "نعم، أرى ذلك. ولكن تلك السكين حادة. حادة جدا. ييب من الآن، إذا أردت سكين، فعليك أن تطلبه أولا. والآن، يانك ستقشر، وييب سيأكل. لأن ييب جرح يده، ويمكن أن يأكل التفاح."

هذا جميل. لأن الأكل سهل، ولكن التقشير صعب.

הַקּוּמְקוּם הַשּׁוֹרֵק

הָאָדוֹן לֹא בַּבַּיִת, הַגְּבֶרֶת יָצְאָה,
הַקּוּמְקוּם עַל הָאֵשׁ, כְּבָר יוֹתֵר מִשָּׁעָה.
דְּמָמָה בַּבַּיִת הָרֵיק,
רַק הַקּוּמְקוּם שׁוֹרֵק.

סִיר הַמָּרָק מִתְרַתֵּחַ: מַסְפִּיק!
דַּי כְּבָר לִשְׁרוֹק בְּקוֹל כֹּה דַּקִּיק!
תִּהְיֶה בְּשֶׁקֶט כְּבָר.
מַה אַתָּה, קַטָּר?

גַּם סִיר הַבָּשָׂר לֹא יָכוֹל יוֹתֵר,
בֵּין קְצִיצָה לִקְצִיצָה הוּא רוֹטֵן וּמְקַטֵּר:
אֵיךְ אֶפְשָׁר בִּכְלָל לְטַגֵּן
כְּשֶׁהַקּוּמְקוּם הַזֶּה מְנַגֵּן?

הַקּוּמְקוּם מִתְבַּכְיֵן: זֹאת לֹא אַשְׁמָתִי.
הַמַּשְׁרוֹקִית שֶׁלִּי מַכְרִיחָה אוֹתִי!
אֲנִי לֹא מַצְלִיחַ לִשְׁתּוֹק,
אֲנִי חַיָּב לִשְׁרוֹק.

הָאָדוֹן וְהַגְּבֶרֶת טֶרֶם חָזְרוּ,
הַקּוּמְקוּם מְנַגֵּן לוֹ: טוּרוּרוּרוּ.
הוּא שׁוֹרֵק וְשׁוֹרֵק וְשׁוֹרֵק,
הָרֹאשׁ שֶׁלִּי מִתְפָּרֵק...
גַּם שֶׁלָּכֶם?

Het Fluitketeltje

Meneer is niet thuis en mevrouw is niet thuis,
het keteltje staat op het kolenfornuis,
de hele familie is uit,
en het fluit en het fluit en het fluit: túúúút.

De pan met andijvie zegt: Foei, o, foei!
Hou eindelijk op met dat nare geloei!
Wees eindelijk stil alsjeblief,
je lijkt wel een locomotief.

De deftige braadpan met lapjes en zjuu
zegt: Goeie genade, wat krijgen we nu?
Je kunt niet meer sudderen hier,
ik sudder niet meer met plezier!

Het keteltje jammert: Ik hou niet meer op!
Het komt door m'n dop! Het komt door m'n dop!
Ik moet fluiten, zolang als ik kook
en ik kan het niet helpen ook!

Meneer en mevrouw zijn nog altijd niet thuis
en het keteltje staat op het kolenfornuis,
het fluit en het fluit en het fluit.
Wij houden het echt niet meer uit... Jullie?

الغلاية

السيد غير موجود في البيت والسيدة أيضا
الغلاية تغلي على النار
وجميع أفراد الأسرة خارج البيت
وهي تصفر وتصفر وتصفر: توووت...

وطنجرة الهندباء تقول: فوي، فوي!
لتتوقف عن هذا الصفير المزعج!
اسكت من فضلك،
انك تشبهين القاطرة.

وتقول المقلاة القديمة المليئة بقطع اللحم
والصلصة:
ارحموني، ما هذا؟
لا يمكن لي أن أطبخ على مهل،
لم اعد أطبخ بلذة!

والغلاية تشتكي: لم أعد أتوقف عن الصفير!
وهذا بسبب سدادتي! بسبب سدادتي!
يجب أن أصفر، عندما أغلي
ولا يمكن لي فعل شيء!

السيد والسيدة لم يعودا بعد إلى البيت
والغلاية تغلي على النار،
تصفر وتصفر وتصفر.
لم نعد نتحمل هذا... وأنتم؟

The Singing Tea Kettle

The master is out and the mistress is out
the children are out and nobody's about,
the kettle is on the gas ring,
hear it sing, hear it sing, hear it sing: toooot.

The pan full of cabbage says, "Bah, shame on you!
Why must you kick up such a hullabaloo?
I usually couldn't care less,
but you sound like the Orient Express!"

The casserole dish full of gravy and steak
says, "Great God Almighty!" and "Give us a break!"
"Some people are trying to braise,
I've never braised worse all my days!"

The kettle laments, "It's not me! It's not me!
My whistle's to blame for it all, don't you see.
Whenever I'm boiling, I sing.
About that, I can't do a thing!"

The master and mistress still haven't come back,
the kettle is boiling and blowing its stack.
It sings and it sings like before.
We really can't stand anymore... Can you?

Recepten
voor iedereen

Recipes
for everyone

وصَفات
للجميع

מַתְכּוֹנִים
לְכֻלָּם

Koken begint met verzamelen. **Dus voordat je je schort ombindt en je mouwen oprolt ga je eerst eens even bekijken welke ingrediënten je nodig hebt.**

Appelmoes

4 of 5 (moes)appels
100 gram suiker
Een theelepel kaneel
Een flinke scheut water uit de kraan

Doe de stukken in een pan en gooi er een flinke scheut water bij. Als het water kookt (en dat gebeurt al gauw omdat het maar een bodempje water is), dan zet je het vuur laag. Laat pruttelen met het deksel op de pan. Blijf in de buurt van het fornuis en kijk steeds even of de appels niet aanbranden. Anders doe je er nog een scheutje water bij.
Na 20 minuten zijn de appels zacht. Roer ze met een pollepel helemaal tot moes. Gooi de suiker erdoor. Weer roeren. Pak een mooi schaaltje, giet de appelmoes erin en strooi er kaneel over. Klaar is je wereldmoes.

يبدأ الطبخ بجمع مكوناته أولا.
يجب، قبل أن ترتدي فوطة المطبخ وتشمّرعن ساعدك، أن تتطلع على الوصفة لمعرفة المكونات التي تحتاجها في تحضيرالأكلة.

التفاح المطحون

أربعة الى خمسة تفاحات (من نوع التفاح الكندي أو أي نوع أخر)
100 غرام من السنيدة (مسحوق السكر)
ملعقة صغيرة من القرفة
كمية لابأس بها من الماء

تبدأ بتقشير التفاح تم تقطعه الى أجزاء صغيرة. ضع قطع التفاح في الطنجرة مع كمية قليلة من الماء. عندما يغلي الماء (سوف يحدث ذلك بسرعة نظرا لقلة الماء)، ينبغي أن تنقص من حرارة الفرن وتضع الغطاء فوق الطنجرة ثم تترك المطبوخ يقلي مدة زمنية. لاتبتعد عن الفرن وأنظر من حين لأخر في الطنجرة حتى لاتحترق قطع التفاح. أضف بعض الماء إن شئت. بعد عشرين دقيقة تصبح قطع التفاح رخوة. حرك القطع في الطنجرة بواسطة مغرفة حتى تصبح معجونا ثم أضف اليه بعض السنيدة وحرك الخليط جيدا. خذ صَحْنا جميلا (العين تعشق قبل اللسان أحيانا!) واسكب فيه العجينة ثم ضع عليه القرفة وها أنت حضّرت وجبتك العالمية.

Cooking starts with bringing things together. So before you put on your aprons and roll up your sleeves, check which ingredients you need.

Apple Sauce

4 or 5 (cooking) apples
Half a cup of sugar
1 teaspoon of cinnamon
A big splash of tap water

הַבִּישׁוּל מַתְחִיל בַּהֲכָנָה. לִפְנֵי שֶׁלּוֹבְשִׁים סִינָר וּמַפְשִׁילִים שַׁרְווּלִים, כְּדַאי לִבְדֹּק מַה הַמֻּצְרָכִים הַדְּרוּשִׁים לָנוּ.

רֶסֶק תַּפּוּחִים

אַרְבָּעָה אוֹ חֲמִשָּׁה תַּפּוּחֵי-עֵץ (מַתְאִימִים לְבִשּׁוּל)
100 גְּרַם סֻכָּר
כַּפִּית קִנָּמוֹן
שָׁלוּק רְצִינִי שֶׁל מֵי בֶּרֶז

אֶת הַתַּפּוּחִים מְקַלְּפִים וְחוֹתְכִים לַחֲתִיכוֹת. שָׂמִים אֶת חֲתִיכוֹת הַתַּפּוּחַ בַּסִּיר וּמוֹסִיפִים אֶת הַמַּיִם. בְּרֶגַע שֶׁהַמַּיִם רוֹתְחִים (וְזֶה קוֹרֶה מַהֵר מְאֹד כְּשֶׁיֵּשׁ רַק מְעַט מַיִם) מַנְמִיכִים אֶת הַלֶּהָבָה. לְהִתְבַּשֵּׁל לְאַט לְאַט, בְּמִכְסֶה סָגוּר. אֲבָל חָשׁוּב לְהִשָּׁאֵר לְיַד הַסִּיר וּלְהָצִיץ מִדֵּי פַּעַם לְתוֹכוֹ, לִבְדֹּק שֶׁהַתַּפּוּחִים לֹא נִשְׂרָפִים. אִם כֵּן, מוֹסִיפִים עוֹד קְצָת מַיִם.
אַחֲרֵי 20 דַּקּוֹת שֶׁל בִּשּׁוּל הַתַּפּוּחִים מַסְפִּיק רַכִּים. מוֹעֲכִים אוֹתָם בְּכַף עֵץ עַד שֶׁהֵם הוֹפְכִים לְרֶסֶק. מוֹסִיפִים אֶת הַסֻּכָּר. בּוֹחֲשִׁים. בּוֹחֲרִים קְעָרָה יָפָה (גַּם הַמַּרְאֶה חָשׁוּב), שׁוֹפְכִים לְתוֹכָהּ אֶת הָרֶסֶק, מְפַזְּרִים לְמַעְלָה אֶת הַקִּנָּמוֹן וְ... בְּבַקָּשָׁה! רֶסֶק תַּפּוּחִים עוֹלָמִי!

Peel the apples and cut them into pieces. Put the pieces in a saucepan and add a good splash of water. When the water starts boiling (and it won't take long because it's only just covering the bottom of the pan), turn the heat to low. Put a lid on the pan and let the apples simmer. Don't go away. You have to check every now and then to make sure you don't burn the apples. If they start to stick, add another splash of water. After 20 minutes, the apples are soft. Stir and mash them with a wooden spoon. Chuck in the sugar. Give them another stir. Take a beautiful serving dish, pour in the apple sauce and sprinkle the cinnamon over the top. Your world apple sauce is now ready.

4 כִּיסָנֵי תַּפּוּחִים — 4 Apple Turnovers

2 תַּפּוּחִים חֲמוּצִים

2 sour apples

4 רְבוּעֵי בָּצֵק עָלִים קָפוּא

4 sheets of frozen puff pastry

4 חָפְנֵי צִמּוּקִים שְׁחוֹרִים

4 handfuls of currants

2 חָפְנֵי צִמּוּקִים לְבָנִים

2 handfuls of raisins

4 חָפְנֵי סֻכָּר

4 handfuls of sugar

2 כַּפִּיּוֹת קִנָּמוֹן

2 teaspoons of cinnamon

מְעַט מֵי בֶּרֶז

Tap water

מוֹצִיאִים אֶת בְּצֵק הֶעָלִים מֵהַמַּקְפִּיא, בּוֹחֲרִים אַרְבָּעָה רְבוּעִים, מַנִּיחִים אוֹתָם עַל הַשַּׁיִשׁ לְהַפְשָׁרָה וְאֶת הַשְּׁאָר מַחֲזִירִים לַמַּקְפִּיא. מַדְלִיקִים אֶת הַתַּנּוּר וּמְכַוְּנִים אוֹתוֹ לְחֹם שֶׁל 200 מַעֲלוֹת.

מַנִּיחִים עַל כָּל רְבוּעַ בָּצֵק רֶבַע מִתַּעֲרֹבֶת הַתַּפּוּחִים. מְקַפְּלִים כָּל רְבוּעַ בַּאֲלַכְסוֹן לִשְׁנַיִם, כָּךְ שֶׁיִּוָּצֵר מְשֻׁלָּשׁ, וּמְהַדְּקִים הֵיטֵב אֶת הַקְּצָווֹת. מַנִּיחִים אֶת הַכִּיסָנִים בְּתַבְנִית אֲפִיָּה, מַרְטִיבִים אֶצְבַּע בְּטִיפ-טִפַּת מַיִם וּמוֹרְחִים עַל הַכִּיסָנִים. מְפַזְּרִים עֲלֵיהֶם אֶת שְׁאֵרִית הַסֻּכָּר וְ... יָשָׁר לַתַּנּוּר! אוֹפִים בְּמֶשֶׁךְ 15 אוֹ 20 דַּקּוֹת וְהַכִּיסָנִים מוּכָנִים.

Take four sheets of puff pastry out of the box to let them thaw. Then put the oven on 200 degrees Celsius (gas mark 6, 400 degrees Fahrenheit). Give it time to warm up.
Peel and dice the apples.
Chuck the diced apple into a mixing bowl and throw the currants and raisins in after it. Then sprinkle the two handfuls of sugar over the top and the two teaspoons of cinnamon as well. Stir!
Lay the four sheets of pastry out in front of you and then divide the apple mix between the four sheets. Then fold the sheets over to make closed triangles. Press the edges firmly together. Take the baking tray. Put the triangles on it. Wet the top of each triangle with a little bit of water (use your fingers). Sprinkle a few more grains of sugar over your world turnovers and in the oven they go. After 15 to 20 minutes, they're done.

4 Appelflappen uit de oven

2 zure appels
4 plakjes bladerdeeg uit de diepvries
4 handjes krenten
2 handjes rozijnen
4 handjes suiker
2 theelepels kaneel
Water uit de kraan

Eerst vier plakjes bladerdeeg uit het doosje halen en laten ontdooien. Dan zet je de oven aan en je draait de knop op 200 graden. Dan kan die alvast lekker warm worden.

Snij de geschilde appels in blokjes. Gooi de blokjes in een kom en gooi de krenten en rozijnen erachteraan. Daarna strooi je er twee handjes suiker overheen en de twee theelepels kaneel ook. Roeren!

Leg de vier velletjes bladerdeeg voor je neus neer en verdeel het appelmengsel over de vier velletjes.

Daarna vouw je die velletjes dicht zodat het driehoekjes worden. Goed aandrukken.

Pak de bakplaat. Leg de pakketjes erop. Maak de bovenkant een beetje nat met water (dat doe je met je vinger). Strooi er nog wat suiker op en hop in de oven met die wereldflappen. 15 tot 20 minuten wachten en ze zijn klaar.

73

4 قشور التفاح المطبوخة في الفرن

تفاحتين من النوع الحامض
أربع قطع من العجينة المورقة من داخل الثلاجة
حفنتين من الزبيب الجاف
أربع حفنات من السنيدة
ملعقتين صغيرتين من القرفة
شئ من الماء

أولا تخرج وريقات العجينة المورقة من الثلاجة وتفتحها ثم تتركها لحظة حتى يذوب عنها الجليد. تشعل الفرن وترفع من حرارته حتى تصل 200 درجة ثم تدعه ليسخن جيدا.

تبدأ في تقشير التفاح ولاتنتظر طويلا حتى لا تزداد درجة حرارة الفرن. اقطع التفاح المقشّر إلى أجزاء صغيرة وضعها في الطنجرة، أضف اليها الدّبس والزبيب ثم ضع فوقها حفنتين من السنيدة وملعقتين صغيرتين من القرفة، وأخيرا تحرك الخليط.

ضع الوريقات الأربعة من العجينة المورقة أمامك وأمْلأ كل واحدة منها بخليط التفاح الذي حضرته، أطوي الوريقات على شكل مثلث ثم اضغط عليها جيدا. ضع المثلثات المملوءة بالخليط على المقلاة، رَطّب بأصبعك الطبقة العليا بشئ من الماء، أضف شيئا من السنيدة وأخيرا تدخل الكل الى الفرن. انتظر 15 الى 20 دقيقة حتى تطبخ الوجبة.

Charoset

2 zoete appels
Een citroen
Een handje rozijnen
Een handje amandelen
(zonder velletje)
Een beetje kaneel
Wat honing
Een scheutje rode zoete wijn
(of gewoon druivensap)

Charoset is een appelrecept dat de joden maken voor Pesach, een joods feest. Charoset kun je op verschillende manieren maken.
Charoset 1, de Oost-Europese manier
De rozijnen vooraf even laten weken in lauw water. Daarvan worden ze lekker zacht.
Als je dat hebt gedaan ga je de appels schillen en raspen. Daar doe je het sap van de citroen doorheen. En de schil van de citroen haal je langs de fijne rasp en gooi je er ook doorheen (die citroen dus wel even wassen). Daarna hussel je er de amandelen, de rozijnen, de kaneel en rode wijn of druivensap ook doorheen.

Een handje amandelen
Een handje dadels (van Khartoem of ergens anders!)
Een handje gedroogde vijgen
Een beetje kaneel
50 gram suiker
Een scheutje rode zoete wijn
(of gewoon druivensap)

Charoset 2, de Middellandse Zee-manier
Je kunt ook kiezen voor deze Italiaanse, Marokkaanse, Turkse, Egyptische, kortom: Middellandse Zee-variant.
Amandelen dadels en vijgen heel klein snijden en door elkaar roeren. Meng de suiker en de kaneel er ook doorheen, voeg wijn of druivensap toe en kneed er balletjes van. Weet je wat leuk is? Ieder land heeft zijn eigen specialiteit. Zo kun je er een banaan doorheen kneden, walnoten, peren, kruidnagelpoeder, rozijnen, pijnboompitten, of iets wat je zelf bedenkt, als het maar zoet is!

خاروزيت

تفاحتين حلوتين
ليمونة
حفنة من الزبيب
حفنة من اللوز الخالي من القشور
شيء من القرفة
جرعة من عصيرالعنب

خاروزيت أكلة تحضّر من التفاح يتناولها اليهود في عيد الفَصْح، عيد يهودي.
يمكن تحضير أكلة الخاروسيت حسب طرق مختلفة.
الطريقة الاولى: على طريقة بلدان شرق أوروبا
ينبغي أن يبقى الزبيب مدة طويلة في الماء الدافئ، حتى يصبح طريا. بعد ذالك تقوم بتقشير التفاح وتبشيره، ثم تخلطه بعصير الليمون. أما قشورالليمون فينبغي خلطها هي أيضا مع ألياف التفاح (هذا يعني أنك تغسل الليمون قبل أن تقطعه). أضف الى الخليط اللوز والزبيب والقرفة وعصير العنب ثم حركه جيدا.

حفنة من اللوز
كفة من التمر (تمر الخرطوم أو أي جهة أخرى)

حفنة من التين المجفف
قليل من القرفة
50 غرام من السكر
شئ من النبيذ الأحمر الحلو
المذاق أو عصير العنب

الطريقة الثانية: خاروزيت على طريقة بلدان البحر الأبيض المتوسط
يمكنك أن تختار بين طريقة التحضير الإيطالية، المغربية، التركية أوالمصرية.
بإختصار طريقة البلدان المتوسطية.
تقطع حبات اللوز والتمر والتين الى أجزاء جد صغيرة ثم تخلط فيما بينها.
تضيف اليها جرعة من النبيذ أو عصير العنب و بعض السكر والقرفة ثم تصنع من العجينة (الخليط) كريات صغيرة. شئ جميل ينبغي أن تعرفه! هو أن لكل بلد طريقته الخاصة في التحضير. يمكنك مثلا أن تخلطها بالموز، الجوز، الإجاص، مسحوق القرنفل، الزبيب، حبات الصنوبر أو أي شئ آخر تفضله أنت، بشرط أن يكون طعمه حلوا!

Haroseth

2 sweet apples
A lemon
A handful of raisins
A handful of almonds
(blanched)
A bit of cinnamon
A splash of sweet red wine or
grape juice

Haroseth is an apple recipe that the Jews make for Passover, a
Jewish holiday. There are a few different ways of making it.

Haroseth no. 1, Eastern European

Start by soaking the raisins in warm water for a little while. That
makes them nice and soft.
When you've done that, peel and grate the apples. Then mix in the
juice of the lemon. Use a fine grater to grate off the zest of the
lemon (the outside layer of the peel) and mix that in too. (Wash the
lemon first.) Then stir in the almonds, the raisins, the cinnamon
and the grape juice.

A handful of almonds
A handful of dates (from
Khartoum or somewhere
else!)
A handful of dried figs
A bit of cinnamon
A quarter of a cup of sugar
A splash of sweet red wine or
grape juice

Haroseth no. 2, Mediterranean

You can also choose this Italian, Moroccan, Turkish, Egyptian version
(Mediterranean, in other words).

Cut the almonds, dates and figs up very small (careful with that
knife) and mix them together. Then stir in the sugar and the
cinnamon, add the splash of wine or grape juice to moisten, and
squeeze the mix into balls. You know what's fun? Each country has
its own speciality. You can squeeze banana through it, or add
walnuts, pear, a pinch of ground cloves, sultanas, pine nuts or
whatever you like, as long as it's sweet!

חֲרוֹסֶת

שְׁנֵי תַּפּוּחִים

לִימוֹן אֶחָד

חֹפֶן צִימוּקִים

חֹפֶן שְׁקֵדִים קְלוּפִים

מְעַט קִנָּמוֹן

שָׁלוּק יַיִן אָדוֹם אוֹ מִיץ עֲנָבִים

נָכִין חֲרֹסֶת. אַתֶּם יוֹדְעִים, הַמִּמְרָח הַמָּתֹק הַזֶּה
שֶׁאוֹכְלִים יְהוּדִים בְּפֶסַח. חֲרֹסֶת אֶפְשָׁר לְהָכִין בְּכָל מִינֵי צוּרוֹת.

חֲרֹסֶת א, מִנְהַג אֵירוֹפָה הַמִּזְרָחִי

מַשְׁרִים אֶת הַצִּמּוּקִים קֹדֶם בְּמַיִם פּוֹשְׁרִים, עַד שֶׁיִּתְרַכְּכוּ. טְעִים מְאֹד!
בֵּינְתַיִם מְקַלְּפִים אֶת הַתַּפּוּחִים וּמְגָרְדִים אוֹתָם בְּפוּמְפִּיָּה גַּסָּה. אֶת קְלִפַּת הַלִּימוֹן
(לֹא לִשְׁכֹּחַ לִשְׁטוֹף אוֹתוֹ!) מְגָרְדִים בְּפוּמְפִּיָּה דַּקָּה וּמוֹסִיפִים לַתַּפּוּחִים הַמְרֻסָּקִים.
סוֹחֲטִים אֶת הַלִּימוֹן וְשׁוֹפְכִים פְּנִימָה גַּם אֶת הַמִּיץ. מוֹסִיפִים אֶת הַשְּׁקֵדִים,
הַצִּמּוּקִים, הַקִּנָּמוֹן וּמִיץ הָעֲנָבִים, מְעַרְבְּבִים הֵיטֵב.

חֹפֶן שְׁקֵדִים

חֹפֶן תְּמָרִים (מֵחַרְטוּם אוֹ מָקוֹם
אַחֵר)

חֹפֶן דְּבֵלִים (אַתֶּם יוֹדְעִים, תְּאֵנִים
מְיֻבָּשׁוֹת)

מְעַט קִנָּמוֹן

50 גְּרַם סֻכָּר

שָׁלוּק יַיִן אָדוֹם אוֹ מִיץ עֲנָבִים

חֲרֹסֶת ב, מִנְהַג יַם הַתִּיכוֹן

גַּם אֶפְשָׁר לִבְחוֹר מִנְהַג אִיטַלְקִי, מָרוֹקָאִי, טוּרְקִי, מִצְרִי.
זֹאת אוֹמֶרֶת מִנְהַג יַם הַתִּיכוֹן.

קֹדֶם כֹּל חוֹתְכִים אֶת הַשְּׁקֵדִים, הַתְּמָרִים וְהַתְּאֵנִים לַחֲתִיכוֹת קְטַנְטַנּוֹת (זְהִירוּת עִם
הַסַּכִּין!) וּמְעַרְבְּבִים. מוֹסִיפִים אֶת הַסֻּכָּר וְהַקִּנָּמוֹן, מְעַרְבְּבִים הַכֹּל וּמְגַלְגְּלִים
מֵהַתַּעֲרֹבֶת כַּדּוּרִים קְטַנִּים. אַתֶּם יוֹדְעִים מַה נֶחְמָד? לְכָל אֶרֶץ יֵשׁ הַמִּנְהָג שֶׁלָּהּ.
אֶפְשָׁר לְעַרְבֵּב בַּנָּנָה, אֱגוֹזִים, אֲגָסִים, אַבְקַת קַרְפּוֹל, צִימוּקִים, צְנוֹבְרִים, מַה שֶׁאַתֶּם
רוֹצִים, רַק שֶׁיִּהְיֶה מָתוֹק.

Pomegranate Dessert

It sounds like a real mouthful: pom-e-gran-ate. But don't worry, when you get down to it, the pomegranate is a very bite-sized fruit. If you peel it, you will notice that it's actually made up of lots and lots of little pieces. Enough to share with everyone. A little piece for every kid in the class.

A pomegranate is actually a fruit for sharing, and that's just what they do with it in Arab countries: they don't eat it by themselves, they eat it together.

But now the dessert.

1 pomegranate (or 2, it depends on how many guests you are expecting)
2 teaspoons of *fromage frais* per pomegranate
A little honey

Spoon the pieces out of the pomegranate. Put them in a bowl. Tip the *fromage frais* over them. Pour a little honey over the top and your world dessert is ready to eat.

קְנוּחַ רִמּוֹנִים

נִשְׁמָע קְצָת אֵלִים: רִמּוֹן. אֲבָל אַל חֲשָׁשׁ, הָרִמּוֹן הַזֶּה לֹא יִתְפּוֹצֵץ אִם הוּא יִפֹּל עַל הָרִצְפָּה. הָאֱמֶת הִיא שֶׁהָרִמּוֹן הוּא פְּרִי מַמָּשׁ יְדִידוּתִי, כִּי יֵשׁ בּוֹ הֲמוֹן גַּרְגְּרִים, שֶׁאֶפְשָׁר לְהִתְחַלֵּק בָּהֶם עִם אֲחֵרִים. גַּרְגֵּר לְכָל חָבֵר. מַה יוֹתֵר יְדִידוּתִי מִזֶּה?

הָרִמּוֹן הוּא סֵמֶל לְשִׁתּוּף. כָּךְ גַּם אוֹכְלִים אוֹתוֹ בְּאַרְצוֹת עֲרָב: לֹא כָּל אָדָם לְעַצְמוֹ, אֶלָּא יַחַד. וְעַכְשָׁו, לַהֲכָנַת הַקְּנוּחַ.

רִמּוֹן (אוֹ שְׁנַיִם. תָּלוּי כַּמָּה אוֹרְחִים יֵשׁ)
כַּף גְּבִינָה לְבָנָה לְכָל רִמּוֹן
מְעַט דְּבַשׁ

מְפוֹרְרִים אֶת גַּרְגְּרֵי הָרִמּוֹן לְתוֹךְ קְעָרָה. מוֹסִיפִים אֶת הַגְּבִינָה הַלְּבָנָה, יוֹצְקִים אֶת הַדְּבַשׁ, וַהֲרֵי לָכֶם עוֹד קְנוּחַ עוֹלָמִי.

Granaatappeltoetje

Het klinkt een beetje vijandig: granaatappel. Maar wees niet bang, hij ontploft niet als hij van het aanrecht valt. Eigenlijk is de granaatappel het tegenovergestelde van vijandig. Het is eigenlijk de vriendelijkste appelsoort die er bestaat. Wie de granaatappel pelt ziet dat hij uit heel veel kleine blokjes bestaat. Je kunt hem met iedereen delen. Een blokje voor ieder kind uit je klas, vriendelijker bestaat dus niet.
Een granaatappel is dus een deelappel, en dat is precies wat ze er in Arabische landen mee doen: niet alleen opeten, maar samen.
Maar dan nu het toetje.

1 granaatappel (of twee, het ligt er maar aan hoeveel gasten je hebt)
1 eetlepel kwark per appel
Een beetje honing

Lepel de blokjes uit de granaatappel. Doe die in een kom. Schep de kwark erover. Giet er een straal honing overheen en klaar is je wereldtoetje.

فاكهة الرمانة لمابعد الوجبة الرئيسية (Dessert)

الرمانة باللغة الهولندية تحمل نفس إسم القنبلة اليدوية! لكن لاداعي للخوف، فقنبلتنا هذه لن تنفجر اذا سقطت على الأرض! إنها فاكهة للأكل. بل هي أطيب أنواع الفواكه الموجودة. عندما تُقشَّر الرمانة تجد أنها تحتوي على حبات صغيرة جدا، يمكن أن تقسم الرمانة مع من تشاء. مثلا أن تعطي لكل واحد من زملائك في القسم حبة واحدة، وهذا ما يظهرطيبوبة الرمانة. فالرمانة هي إذن فاكهة خُلقت لتأكل جماعة. هذا مايفعله الناس مثلا بالرمانة في البلدان العربية: عوض أن يأكلها الفرد لوحده، يتقاسمها مع الآخرين.

رمانة واحدة أوأكثر (حسب عدد الضيوف)
ملعقة من الجبنة الطرية لكل رمانة واحدة
شيء من العسل

استعمل ملعقة لإخراج الحبات من الرمانة، ضعها في قدْح وأسكب الجبنة الطرية فوقها، ثم أخلطها بجرعة من العسل وها أنت حصلت على أكلتك الخفيفة!

Pannenkoeken op 4 manieren

أربع تحضيرات مختلفة لرغيف الفطور

De Hollandse manier

الطريقة الهولندية

3 eieren
150 gram bloem
4 deciliter melk
Een snufje zout
Boter

ثلاثة بيضات
150 غرام من الدقيق
أربع دسيليتر من الحليب
قبضة صغيرة من الملح
الزبدة

Pak een kom. Niet zo'n kleine, maar eentje waar je flink in tekeer kunt gaan. Breek de eieren op de rand en giet ze leeg in de kom. Klop ze los met een garde. Doe er daarna de bloem bij. Daarna weer even kloppen, en voeg dan beetje voor beetje de melk erbij. Als het goed is heb je nu een mooi glad beslag. Vind je het te dun? Doe er dan nog een beetje bloem bij. Vind je het te dik? Gooi er dan nog een scheutje melk bij. O ja, het snufje zout niet vergeten.
Ze zeggen dat je het beslag daarna een kwartiertje moet laten staan. Misschien moeten de eieren, de melk en de bloem even aan elkaar wennen en vriendschap sluiten voordat ze samen in de pan worden gegooid.
Zijn de vijftien minuten voorbij?
Doe een klontje boter in de pan en zet de pan op een hoog vuur. Als de boter is gesmolten zet je het vuur lager. De pan is nu gloeiend heet. Giet met een soeplepel wat beslag in de pan. Wacht tot het beslag harder wordt en draai de pannenkoek dan om. Als hij klaar is leg je hem op een bord. Dan voeg je er nog een allerlaatste vriendje aan toe: stroop. Of iets anders natuurlijk.

خذ قدحا متوسطا يتسع لتحريك اليد، كسّر البيضات الثلاثة واحدة بعد الأخرى على حافة القدح وأسكب المحتوى بداخله. حرك الخليط بالمخفقة ثم أضف اليه الدقيق. ينبغي تحريك الخليط مرة أخرى بواسطة المخفقة وفي نفس الآن تضيف اليه جرعات متتابعة من الحليب. بعدها سوف تحصل على عجينة ملسة. أذا كان السيل جد رقيق يمكن إضافة شيء من الدقيق. أما إذا كان غليظا أضف اليه جرعات من الحليب. وإياك أن تنسى الملح!
يقال بأنه يجب بعد ذلك ترك الخليط لمدة 15 دقيقة أن يوضع في المقلاة. السبب ربما هو أن يستأنس البيض والحليب والدقيق بعضهم مع بعض و يتعارفوا مع بعضهم قبل أن يوضعوا في واحد في المقلاة. إذا انتهت 15 دقيقة يمكنك أن تضع قطعة من الزبدة في المقلاة وتشعل نارالفرن، و إذا دابت الزبدة تنقص من درجة الحرارة. الآن أصبحت حرارة المقلاة متوهجة، يمكن أن تصُبّ مقدار ملعقة من الخليط في المقلاة، انتظر قليلا حتى يتصلب الخليط ويصبح رغيفا فأقلبه على الجهة الأخرى. إذا كان الرغيف جاهزا، أي انتهى طبخه، ضعه في صحن. والآن؟ أما الآن، و في النهاية، يمكنك دَهْنه بالسترُوب (stroop) أو أي سائل أخرحلو المذاق، ثم تأكله.

אַרְבָּעָה סוּגִים שֶׁל פַּנְקֵייק | Four Kinds of Pancakes

פַּנְקֵייק הוֹלַנְדִי | Dutch-Style

3 בֵּיצִים	3 eggs
150 גְרַם קֶמַח	1 cup of flour
2 כּוֹסוֹת חָלָב	1½ cups of milk
קַמְצוּץ מֶלַח	A pinch of salt
חֶמְאָה	Butter

לוֹקְחִים קְעָרָה. לֹא מֵהַקְטַנּוֹת. קְעָרָה רְצִינִית, שֶׁאֶפְשָׁר לִבְחֹשׁ בָּהּ בְּמֶרֶץ. לוֹקְחִים בֵּיצָה, שׁוֹבְרִים אֶת הַקְּלִפָּה עַל שְׂפַת הַקְּעָרָה וְאֶת הַבֵּיצָה שׁוֹפְכִים פְּנִימָה. כָּךְ עוֹשִׂים שָׁלֹשׁ פְּעָמִים. טוֹרְפִים אֶת הַבֵּיצִים בְּמַקְצֵף וּמוֹסִיפִים אֶת הַקֶּמַח. מַמְשִׁיכִים לְהַקְצִיף וּמוֹסִיפִים תּוֹךְ כְּדֵי כָּךְ לְאַט לְאַט אֶת הֶחָלָב, עַד שֶׁנּוֹצֶרֶת בְּלִילָה חֲלָקָה וַאֲחִידָה. הַבְּלִילָה נוֹזְלִית מִדַּי? הוֹסִיפוּ מְעַט קֶמַח. סְמִיכָה מִדַּי? הוֹסִיפוּ מְעַט חָלָב. וְלֹא לִשְׁכּוֹחַ לְהוֹסִיף גַּם אֶת הַמֶּלַח.

אוֹמְרִים שֶׁצָּרִיךְ לְהָנִיחַ אֶת הַבְּלִילָה בַּצַּד לְרֶבַע שָׁעָה. אוּלַי זֶה כְּדֵי לָתֵת לַבֵּיצִים, לַקֶּמַח וְלֶחָלָב הַזְּדַמְנוּת לְהִתְרַגֵּל זֶה לָזֶה וּלְהִתְיַדֵּד, לִפְנֵי שֶׁיַּגִּיעוּ לַמַּחֲבַת.

עָבְרוּ חֲמֵשׁ-עֶשְׂרֵה דַּקּוֹת? שָׂמִים מְעַט חֶמְאָה בַּמַּחֲבַת וּמַנִּיחִים אוֹתָהּ עַל הַכִּירָה, עַל לֶהָבָה גְבוֹהָה. כְּשֶׁהַחֶמְאָה נְמַסָּה, מַנְמִיכִים אֶת הַלֶּהָבָה. עַכְשָׁו הַמַּחֲבַת חַמָּה, מַמָּשׁ לוֹהֶטֶת. מְמַלְּאִים מַצֶּקֶת בִּבְלִילָה וְיוֹצְקִים לְתוֹךְ הַמַּחֲבַת. מְחַכִּים עַד שֶׁהַבְּלִילָה כֻּלָּהּ תִּקְרַשׁ, הוֹפְכִים אֶת הַפַּנְקֵייק וּמְטַגְּנִים מְעַט. כְּשֶׁהַפַּנְקֵייק מוּכָן, מַעֲבִירִים אוֹתוֹ לְצַלַּחַת. אָז מוֹסִיפִים לוֹ אֶת הֶחָבֵר הָאַחֲרוֹן שֶׁלּוֹ: סִירוֹפּ סֻכָּר. וְאֶפְשָׁר כַּמּוּבָן גַּם מַשֶּׁהוּ אַחֵר.

Take a mixing bowl. Not a little one, but one that's big enough for you to really go wild. Crack the eggs on the edge and break them into the bowl. Beat them with a whisk. Then add the flour. Then whisk it again and add the milk little by little while still whisking. This should give you a nice smooth batter. Is it too thick? Then throw in a splash more milk? Too thin? Add a little more flour. Oh yeah, don't forget the pinch of salt.

People say that you need to let the batter rest for fifteen minutes. Maybe the eggs, milk and flour have to get used to each other and make friends before you throw them into the frying pan together. In the meantime you can set the table.

Are the fifteen minutes over?

Put some butter in the frying pan and put it on a hot burner. Once the butter has melted, turn the gas down. The frying pan is now red hot. Use a ladle to tip some batter into the frying pan. Wait until it sets, then turn the pancake. When it's done you put it on a plate. Then you add the very last friend: treacle. Or something else, of course.

De Marokkaanse manier

Pannenkoeken die je op de Marokkaanse manier maakt heten baghrir. Het zijn kleine pannenkoekjes waarin heel veel gaatjes zitten. Daarom heten ze: duizendgatenpannenkoeken.

250 gram griesmeel

1 ei

1 zakje gedroogde Bakkersgist (verse gist mag ook)

Boter

Honing

Zout

Water

Geduld

Zeef de griesmeel boven een kom en breek er een ei boven. Gooi het gist erbij en een snuf zout en meng het tot het dik en klonterig is. Vul een kan met lauw water. Schenk dat lauwe water beetje voor beetje in de kom. Tussendoor roer je. Dit beslag moet iets dikker worden dan het beslag van Hollandse pannenkoeken. Zo dik als vanillevla. Leg dan een vochtige doek of huishoudfolie over de kom. Zet de kom op een warme plek. Nu moet je een half uur wachten tot het beslag gaat rijzen.

Pak een pan en verwarm die. Heeft hij een anti-aanbaklaag? Dat is het beste, want er moet eigenlijk geen boter in de pan. Giet wat van het beslag in de pan. Als het goed is zie je nu langzaam gaatjes verschijnen. Je hebt geen tijd om tot duizend te tellen, want voor die tijd moet je het pannenkoekje omkeren. Als hij klaar is (niet te bruin laten worden) leg je hem op een bord. Ga daarmee door tot het beslag op is.

Ondertussen 100 gram boter en honderd gram honing in een pannetje heel zachtjes verhitten. Roeren! De pannenkoek op het bord direct insmeren met het warme mengsel van honing en boter. En daarna? Smikkelen en smullen.

الطريقة المغربية

رغيف الفطور الذي تحضره على الطريقة المغربية يسمى البَغرير. إنها أرغفة رقيقة و مستديرة الشكل تحتوي على مائات الثقب الصغيرة، ولهذا يطلق عليها إسم: أرغفة بآلاف الثقب.

250 غرام من السّميد

بيضة واحدة

كيس صغير من الخميرة المجففة

الزبدة

العسل

الملح

الماء

الصبر (يعنى الإنتظار الطويل)

تبدأ أولا بغربلة السميد فوق القدْر، ثم تضع فيه بيضة بعد تكسيرها. أضف اليها الخميرة والملح وحركها حتى يختمر الخليط جيدا. خذ إبريقا من الماء الدافئ وأسكب جرعات متتالية في الخليط وحركه في نفس الوقت. العجينة المغربية غليضة شيئما بالمقارنة مع العجينة الهولندية. تشبه في غلضتها القنيلة. اذا انتهيت من ذلك يمكنك تغطية القدْر إما بمنديل مبَلّل بالماء أو بورق التعبئة (folie) المستعمل في البيت. ضع القدر في مكان ساخن وانتظر حتى يختمر الخليط. إذا مرت نصف ساعة، خذ المقلاة وسخنها فوق النار. هل تتوفر المقلاة على مادة مضادة للاء لتصاق؟ هذا النوع من المقلاة هو الأفضل إذ لا يحتاج لإستعمال الزبدة فيه أثناء الطبخ. يمكنك أن تصب شيئا من العجينة في المقلاة، بعدها سوف تلاحظ أن الثقب تتكون ببطء في البغرير. إنتبه! إياك أن تنشغل بتعداد الثقب وتنسى أن تركز إهتمامك على المقلاة ثم تقلب من حين لآخر البغرير حتى لايحترق. إذا انتهيت من التقلية (انتبه ألايحترق البغرير) ضع البغرير في طبق واستمر في تقلية المزيد حتى تنتهي العجينة. 100 غرام من الزبدة ونفس الكمية من العسل تضعها في مقلاة وفوق نارجد خفيفة.

تضع رغيف الفطور في صحن ثم تدهنه بخليط الزبدة والعسل الساخن. ضع بغريرا جاهزا في الطبق. ينبغي أن تدهن بذلك المزيج الساخن من العسل والزبدة. وفي النهاية تأكله بشهية ونَهَم!

פַּנְקֵייק מָרוֹקָאִי

מְסַנְּנִים אֶת הַסֹּלֶת לְתוֹךְ קְעָרָה וְשׁוֹבְרִים לְתוֹכָהּ אֶת הַבֵּיצָה. מוֹסִיפִים אֶת הַשְּׁמָרִים
וְאֶת הַמֶּלַח וּמְעַרְבְּבִים לְעִסָּה סְמִיכָה וְגוּשִׁית. מְמַלְּאִים קַנְקַן בְּמַיִם פּוֹשְׁרִים
וְשׁוֹפְכִים אֶת הַמַּיִם טִפִּין-טִפִּין לְתוֹךְ הָעִסָּה, תּוֹךְ כְּדֵי עִרְבּוּב. הַבְּלִילָה צְרִיכָה
לִהְיוֹת סְמִיכָה קְצָת יוֹתֵר מִבְּלִילַת הַפַּנְקֵייק הַהוֹלַנְדִּי. בְּעֵרֶךְ כְּמוֹ פּוּדִינְג.
מְכַסִּים אֶת הַקְּעָרָה בְּמַגֶּבֶת מִטְבָּח לַחָה אוֹ בִּנְיַר אֲלוּמִינְיוּם וּמַנִּיחִים אוֹתָהּ בְּמָקוֹם
חָם. עַכְשָׁו מְחַכִּים שֶׁהַבְּלִילָה תִּתְפַּח.
חֲצִי שָׁעָה? מְחַמְּמִים מַחֲבַת עַל הָאֵשׁ. עָדִיף מַחֲבַת טֶפְלוֹן, כִּי אֶת הַפַּנְקֵייק הַזֶּה
מְטַגְּנִים בְּלִי חֶמְאָה וּבְלִי מַרְגָּרִינָה. יוֹצְקִים מְעַט בְּלִילָה לַמַּחֲבַת. רוֹאִים אֶת
הַחֲרִים שֶׁצָּצִים בָּהּ? אֵין לָנוּ זְמַן לִסְפּוֹר עַד אֶלֶף, כִּי צָרִיךְ לַהֲפֹךְ מַהֵר אֶת
הַפַּנְקֵייק. וְלִפְנֵי שֶׁיַּשְׁחִים יוֹתֵר מִדַּי, מוֹצִיאִים אוֹתוֹ מֵהַמַּחֲבַת וּמַנִּיחִים עַל צַלַּחַת.
מַמְשִׁיכִים לְטַגֵּן פַּנְקֵייק אַחַר פַּנְקֵייק, עַד שֶׁהַבְּלִילָה נִגְמֶרֶת.
100 גְּרָם חֶמְאָה וְ-100 גְּרָם דְּבַשׁ, עַל לֶהָבָה קְטַנָּה. תַּשְׁגִּיחוּ עֲלֵיהֶם שֶׁהֵם יְעַרְבְּבוּ
כָּל הַזְּמַן!!!
פַּנְקֵייק עַל הַצַּלַּחַת, מוֹרְחִים עָלָיו
מְעַט מִתַּעֲרֹבֶת הַחֶמְאָה וְהַדְּבַשׁ.
וְאַחַר-כָּךְ? זוֹלְלִים וּמְלַקְּקִים אֶת הָאֶצְבָּעוֹת.

הַפַּנְקֵייק הַמָּרוֹקָאִי נִקְרָא בַּעְ'רִיר.
הוּא הַרְבֵּה יוֹתֵר קָטָן מֵהַפַּנְקֵייק
הַהוֹלַנְדִּי. וְיֵשׁ בּוֹ הֲמוֹן חוֹרִים. לָכֵן
קוֹרְאִים לוֹ "פַּנְקֵייק אֶלֶף הַחוֹרִים".

250 גְּרָם סֹלֶת
בֵּיצָה אַחַת
שַׂקִּית שְׁמָרִים יְבֵשִׁים (מֻתָּר גַּם
טְרִיִּים, כַּמּוּבָן)
חֶמְאָה
דְּבַשׁ
קַמְצוּץ מֶלַח
מַיִם
סַבְלָנוּת

Moroccan-Style

Moroccan baghrir are small pancakes with lots of little holes in them. That's why they are also called thousand-hole pancakes.

1½ cups of semolina
1 egg
1 packet of dried baking
yeast (or fresh yeast)
Butter
Honey
Salt
Water
Patience

Sift the semolina into a mixing bowl and break an egg into it. Chuck in the yeast and a pinch of salt and mix until thick and lumpy. Fill a jug with warm water. Add the warm water little by little. Stir the mix while adding the water. This batter has to be a little bit thicker than the batter for Dutch pancakes. About as thick as custard.
Cover the mixing bowl with cling film or a moist cloth. Put it in a warm place. Now you have to wait a half hour for the batter to rise. Take a frying pan and warm it up. Does it have a non-stick layer? That's best, because you don't actually want to use any butter in the frying pan. Pour some batter in the pan. You should be able to see the holes slowly appearing. You don't have time to count to a thousand, though, because you have to turn the pancake before you get that far. When it's ready (don't let it get too brown) lay it on a plate. Keep going until you've used all of the batter.
In the meantime, put half a cup of butter (100 grams) and five tablespoons of honey in a small saucepan, warm it up gently and keep stirring!!! Immediately spread the pancake with the warm mixture of butter and honey. And then? Dig in.

De Amerikaanse manier

3 eieren
120 gram zelfrijzend bakmeel
50 gram witte basterd suiker
1/2 deciliter melk
Zout

Pak twee kommen. Nu komt het erop aan. Je gaat de eieren scheiden. De eierdooier moet los komen van het eiwit. Je tikt het ei voorzichtig stuk op de rand van de kom. Het eiwit laat je in de kom lopen. Zorg dat het eigeel niet meekiepert. Het helpt als je het ei boven de kom voorzichtig helemaal doormidden breekt en het gele bolletje heen en weer laat rollen tussen de twee eierschalen in. Het eigeel gooi je uiteindelijk in de andere kom.
Is dat gelukt? Bij alle drie de eieren? Wow!
Goed, voeg het bakmeel en de suiker toe aan de kom waarin de dooiers zitten en roer. Schenk daarna de melk erbij en roer tot het een lekker beslagje is.
Dan pak je de kom met het eiwit. Met een schone garde sla je dat eiwit samen met een snuf zout helemaal stijf. Het is een wonder, maar als je de kom daarna op zijn kop houdt, blijft het eiwit gewoon zitten.
Je schept dat stijve goedje door het beslag zodat het lekker luchtig wordt.
Doe een beetje boter in een pan. En doe er daarna een beetje beslag in. Draai ze om als het beslag wat harder is geworden.
Lekker met stroop en boter. De Amerikanen eten hun pancakes met echte ahornsiroop.

American-Style

3 eggs
1 cup of self-raising flour
½ cup of castor or powdered sugar
½ cup of milk
Salt

Take two mixing bowls. Here's the tricky bit. You have to separate the eggs. You have to separate the yolk from the white. Carefully crack the egg on the rim of the bowl. Then let the egg white run into the bowl. Make sure you don't tip the yolk in as well. It helps to carefully break the eggshell into two halves above the bowl and then tip the yellow ball from one half of the eggshell to the other. At the end you chuck the yolk into the other bowl.
Did you manage? With all three eggs? Wow!
Okay, add the flour and sugar to the mixing bowl with the yolks and stir. Then add the milk and stir until you've made a nice batter.
Then you take the bowl with the whites. Using a clean whisk, beat the egg whites with a pinch of salt until they are completely stiff. It's a miracle, but if you now hold the bowl upside down, the egg white will stay put.
Gently mix the stiff whisked egg white with the batter to make it nice and airy.
Put a dab of butter in a frying pan. And then add a small amount of batter. Turn it over when the batter has set.
Yummy with butter and treacle. Americans eat their pancakes with real maple syrup.

פֶּנְקֵייק אַמֶרִיקָאִי

3 בֵּיצִים

120 גְרַם קֶמַח תּוֹפֵחַ

50 גְרַם סֻכָּר דַּק

1/2 כּוֹס חָלָב

מֶלַח

מְכִינִים שְׁתֵּי קְעָרוֹת. וְעַכְשָׁו, שִׂימוּ לֵב, צָרִיךְ לְהַפְרִיד אֶת הַבֵּיצִים: הַחֶלְמוֹנִים לְחוּד וְהַחֶלְבּוֹנִים לְחוּד. שׁוֹבְרִים אֶת קְלִפַּת הַבֵּיצָה בִּזְהִירוּת רַבָּה עַל שְׂפַת אַחַת הַקְּעָרוֹת וְשׁוֹפְכִים לְתוֹכָהּ אֶת הַחֶלְבּוֹן. הִזָּהֲרוּ שֶׁהַחֶלְמוֹן לֹא יִשָּׁפֵךְ גַּם הוּא לְתוֹךְ הַקְּעָרָה. הַדֶּרֶךְ הַטּוֹבָה בְּיוֹתֵר הִיא: לִשְׁבּוֹר אֶת הַבֵּיצָה בָּאֶמְצַע, לְהַצְמִיד אֶת שְׁנֵי הַחֲצָאִים זֶה לְזֶה וּלְהַעֲבִיר אֶת הַחֶלְמוֹן (זֶה הַצָּהֹב) מִזֶּה לְזֶה, כְּמוֹ בְּנַדְנֵדָה. הַחֶלְבּוֹן נִשְׁפָּךְ לְתוֹךְ הַקְּעָרָה. כְּשֶׁבַּקְּלִפָּה נִשְׁאָר רַק חֶלְמוֹן שׁוֹפְכִים אוֹתוֹ לַקְּעָרָה הַשְּׁנִיָּה.

הִצְלַחְתֶּם? עִם כָּל שָׁלֹשׁ הַבֵּיצִים? כָּל הַכָּבוֹד!

מוֹסִיפִים אֶת הַקֶּמַח וְהַסֻּכָּר לִקְעָרַת הַחֶלְמוֹנִים וּמְעַרְבְּבִים. מוֹסִיפִים גַּם אֶת הֶחָלָב וּמְעַרְבְּבִים שׁוּב, עַד שֶׁנּוֹצֶרֶת בְּלִילָה חֲלָקָה.

עַכְשָׁו פּוֹנִים לִקְעָרַת הַחֶלְבּוֹנִים. מוֹסִיפִים קֹמֶץ מֶלַח וּמַקְצִיפִים אֶת הַחֶלְבּוֹנִים בְּמַקְצֵף נָקִי, עַד שֶׁהַקֶּצֶף מִתְקַשֶּׁה. אַתֶּם יוֹדְעִים? אִם נַהֲפֹךְ אֶת הַקְּעָרָה עַל פִּיהָ, הַקֶּצֶף לֹא יִשָּׁפֵךְ.

מוֹסִיפִים אֶת הַקֶּצֶף לִקְעָרַת הַבְּלִילָה וּמְעַרְבְּבִים בְּקַלִּילוּת. שָׂמִים מְעַט חֶמְאָה בְּמַחֲבַת וְיוֹצְקִים מְעַט מֵהַבְּלִילָה. כְּשֶׁהַבְּלִילָה נִקְרֶשֶׁת, הוֹפְכִים אֶת הַפֶּנְקֵייק, וּמְקַשְּׁטִים לְמַעְלָה בְּחֶמְאָה וְסִירוֹפּ. הָאַמֶרִיקָאִים מִשְׁתַּמְּשִׁים בְּסִירוֹפּ מֵייפְּל.

الطريقة الأمريكية

ثلاثة بيضات

120 غرام من الدقيق المخمر من قبل

50 غرام من السنيدة البيضاء

1/2 ديسيلتر من الحليب

الملح

استعمل قدحين، والغرض من ذلك هو أنك سوف تفصل أصفرالبيض عن الجزء الأبيض من البيضة. تضع في القدح الأول الجزء الأصفر وفي القدح الثاني الجزء الأبيض الذي يحتوي على البروتينات. تكسر مهل البيضة على حافة القدح حتى يسيل الجزء الأبيض الى القدح، وانتبه ألا ينسل الجزء الأصفر معه الى القدح.

من الأفضل أن تكسر البيضة في وسطها فوق حافة القدح ثم تُدحْرج أصفر البيضة من جهة الى أخرى من أطراف البيضة، وأخيرا تسكب الأصفر في القدح. افعل نفس الشيء بالبيضتين المتبقيتين.

أضف الدقيق المُخَمَّر والسكر الى القدح الذي وضعت فيه أصفر البيض ثم حركه بخفاقة. بعد ذلك تصب فيه الحليب ثم تحركه جيدا حتى تحصل على عجينة رطبة. تأخذ أيضا القدح الذي يوجد فيه أبيض البيضة، وبواسطة مخففة نظيفة تُدلُك تلك المادة البيضاء مع الملح حتى تصبح صلبة شيئا ما. إنها أعجوبة بحيث إذا قَلَبت القدح رأسا على عَقب يبقى الأبيض ملتصقا بقاع القدح، لايسقط. بواسطة ملعقة صغيرة تأخذ أبيض البيضة المتصلب في قاع القدح وتضيفه الى العجينة الموجودة في القدح الآخر لكي تحصل على مادة لذيذة ضع شيئا من الزبدة في المقلاة ثم أضف اليها قليلا من العجينة (الخليط). أقلب الأرغفة من حين لأخر في المقلاة، و إذا تصلبت تضعها بعد ذلك في الطَّبَق الذي جهزته لذلك، ثم تسكب فوقها الزبدة والسيروب. الأمريكيون يفضلون تناول أرغفتهم مدهونة بسيروب أهورن (ahornsiroop). هذا السيروب يمكنك شرائه من المتجر الخاص بالبضائع البيولوجية.

الطريقة اليهودية

De Joodse manier

رغيف الفطور على الطريقة اليهودية يسمى بلينتزيس (blintzes).

De joodse pannenkoeken
heten blintzes.

من أجل العجينة:
125 غرام من الدقيق
بيضتين
1,5 ديسيليتر من الحليب
ملعقة من الزبدة
الملح

Voor het beslag:
125 gram bloem
2 eieren
1,5 deciliter melk
1 eetlepel boter
Zout

غَرْبِل الدقيق في إناء ثم أضف اليه قبضة من الملح. بعدها تأخذ قدحا صغيرا وتضع فيه البيض والحليب، ثم تضيف اليه سائل الزبدة بعد أن ذَابَتْ في المقلاة. بعدما حركت هذا الخليط جيدا، تسكبه فوق الدقيق. العجينة تكون جاهزة اذا أصبحت مُلَسَة. خذ مقلاة وضع فيها شيئا من الزبدة ثم صُبَّ فيها أربعة ملعقات من العجينة موزعة على جنبات المقلاة (منفصلة بعضها عن بعض). عندما تظهر فرقعات صغيرة في العجينة هذا يعني أن هذه وجبة جاهزة. فهي تُقلَى من جهة واحدة فقط، ولاتحتاج لقلبها في المقلاة. استمر إذن في تقلية ماتبقى من العجين، وكلما انتهيت من طَهْيها تضعها في الطَّبَق الذي حضرته لذلك الغرض. (لاتبدأ بالأكل فأنت لم تنتهي بعد من الطهي).

Pak een kom en zeef de bloem erboven. Doe er
een snufje zout doorheen. Pak dan een kleiner
kommetje en doe daar de eieren en de melk in.
De boter moet er ook in, maar die moet je eerst
even smelten in een pannetje. Als je dat door
elkaar heb geklutst gooi je het mengsel
voorzichtig door de bloem. Het beslag is klaar
als het glad is.
Pak een pan en doe er een beetje boter in.
Schep er vier eetlepels beslag in en verdeel het
over de bodem van de pan. Als er kleine belletjes
in het beslag verschijnen, is de blintze klaar. Je
bakt ze dus maar aan één kant. Ga zo door tot
alle blintzes opgestapeld op een apart bord
liggen. (Afblijven want we zijn nog niet klaar!)

من أجل مَلئها تحتاج الى:
250 غرام من الجبنة الطرية
بيضتان (انت تحتاج الى أصفر البيض فقط)
ملعقة من السكر
القرفة
الملح

Voor de vulling:
250 gram kwark
2 eieren (en daarvan alleen de dooiers)
1 eetlepel suiker
Kaneel, zout

من أجل الحشو تضع الجبنة الطرية في القدح، تضيف اليه السكر وقبضة صغيرة من الملح والقرفة، بعد ذلك تصبّ اصفر البيض فيها. يمكنك أن تتبع الطريقة الأمريكية في كسر البيضة. حرّك أصفر البيضة مع خليط الزبدة الطرية بمخفقة وها أنت حصلت على المحشو جاهزا.
الآن يمكنك أن تأخذ الطبق الذي توجد فيه البلينتزيس وأضف لكل البلينتزيس ملعقة من خليط المحشو على الجهة المقلية، ألوي البلينتزيس مقفولة ثم ضعها مرة أخرى في المقلاة على ظهرها المقلي والجهة الغير مقلية نحو الفوق. وفي النهاية تقليها بخفة في شيء من الزبدة في كلا الجهتين.

Voor de vulling doe je de kwark in een kom. Je
gooit de suiker erdoor, een snufje zout en wat
kaneel. En daarna het eigeel. Kijk bij de
Amerikaanse pannenkoek hoe je een ei splitst.
Roer het eigeel door het kwarkmengsel heen en
klaar is de vulling.
Schep op iedere blintze een eetlepel van het
kwarkmengsel. Op de gebakken kant! Vouw de
blintze dicht en leg hem opnieuw in de pan, met
de ongebakken kant naar buiten dus. Bak het
flapje in een beetje boter aan beide kanten bruin.

פַּנְקֵייק יְהוּדִי   Jewish-Style

הַפַּנְקֵייק הַיְהוּדִי הוּא...
הַבְּלִינְצֶס.

Jewish pancakes
are called *blintzes*.

לַבְּלִילָה:
125 גְּרָם קֶמַח
2 בֵּיצִים
2/3 כּוֹס חָלָב
כַּף חֶמְאָה
מֶלַח

For the batter:
1 cup of flour
2 eggs
2/3 of a cup of milk
2 teaspoons of butter
Salt

מְסַנְּנִים אֶת הַקֶּמַח לְתוֹךְ קְעָרָה. מוֹסִיפִים קֹמְצוּץ מֶלַח.
בִּקְעָרָה אַחֶרֶת, קְטַנָּה יוֹתֵר, שָׂמִים אֶת הַבֵּיצִים וְהֶחָלָב.
מְמַסִּים אֶת הַחֶמְאָה בְּסִיר, מוֹסִיפִים אֶת הַחֶמְאָה הַנִּמְסָה
לְקַעֲרִית הַבֵּיצִים וְהֶחָלָב וּמְעַרְבְּבִים הֵיטֵב. שׁוֹפְכִים אֶת
הַתַּעֲרֹבֶת לִקְעָרַת הַקֶּמַח וְטוֹרְפִים בְּמִקְצֵף עַד שֶׁמִּתְקַבֶּלֶת
בְּלִילָה חֲלָקָה.
לוֹקְחִים מַחֲבַת, מְשַׁמְּנִים בִּמְעַט חֶמְאָה, מוֹזְגִים אַרְבַּע
כַּפּוֹת בְּלִילָה וּמְפַזְּרִים אוֹתָהּ עַל פְּנֵי כָּל הַמַּחֲבַת.
כְּשֶׁמַּתְחִילוֹת לַעֲלוֹת בָּהּ בּוּעוֹת קְטַנּוֹת, הַבְּלִינְץ מוּכָן. אֶת
הַבְּלִינְצֶס מְטַגְּנִים רַק בְּצַד אֶחָד.
מַנִּיחִים אֶת הַבְּלִינְצֶס הַמּוּכָנִים בְּצַלַּחַת, זֶה עַל גַּבֵּי זֶה (וְלֹא
לָגַעַת! עוֹד לֹא סִיַּמְנוּ!).

Sift the flour into a mixing bowl. Mix in a pinch
of salt. Put the eggs and the milk in a smaller
bowl. The butter has to go in as well, but you
have to melt it first in a small saucepan. After
you've mixed the melted butter into the eggs
and milk, carefully add the mixture to the flour.
The batter is ready when it's smooth.
Melt a dab of butter in a frying pan. Put in two
tablespoons of batter and spread it out over the
bottom of the frying pan. When little bubbles
appear in the batter, the blintze is done. In other
words, you only fry it on one side.
Keep going until all the blintzes are piled up on
a separate plate.
(Don't eat them, they're not finished yet!)

85

לַמִּלּוּי:
250 גְּרָם גְּבִינָה לְבָנָה
2 חֶלְמוֹנִים
כַּף סֻכָּר
קִנָּמוֹן
מֶלַח

For the filling
250 gram (half a pound) of *fromage frais*
2 eggs (just the yolks)
2 teaspoons of sugar
Cinnamon, salt

עַכְשָׁו לַמִּלּוּי: שָׂמִים אֶת הַגְּבִינָה הַלְּבָנָה בִּקְעָרָה. מוֹסִיפִים
אֶת הַסֻּכָּר, טִפַּת מֶלַח וּמְעַט קִנָּמוֹן. אַחַר-כָּךְ מוֹסִיפִים אֶת
הַחֶלְמוֹנִים. בַּמַּתְכּוֹן לְפַנְקֵייק אֲמֶרִיקָאִי הִסְבַּרְנוּ כְּבָר אֵיךְ
מַפְרִידִים אֶת הֶחָלְבּוֹן מֵהַחֶלְמוֹן. תִּבְדְּקוּ. מְעַרְבְּבִים אֶת
הַגְּבִינָה הַלְּבָנָה עִם כָּל הַתּוֹסָפוֹת, וְהַמִּלּוּי מוּכָן.
עַל כָּל בְּלִינְץ מוֹרְחִים כַּף מֵהַמִּלּוּי. אֲבָל שִׂימוּ לֵב: אֶת
הַמִּלּוּי מוֹרְחִים עַל הַצַּד הַמְטֻגָּן! מְקַפְּלִים אֶת הַבְּלִינְץ
לִשְׁנַיִם וּמַנִּיחִים בַּמַּחֲבַת. מְטַגְּנִים מִשְּׁנֵי הַצְּדָדִים עַד שֶׁהֵם
מַשְׁחִימִים מְעַט.

To make the filling, put the fromage frais in a
mixing bowl. Chuck in the sugar, a pinch of salt
and some cinnamon. And then the egg yolks.
Look at the American pancake recipe to see how
to separate an egg. Stir the egg yolk into the
fromage frais mixture and the filling is ready.
Dollop a half a tablespoon of filling on each
blintze. On the fried side! Fold the blintze shut
and put it back in the frying pan. The uncooked
side should now be on the outside. Fry the
folded blintze on both sides until it's brown.

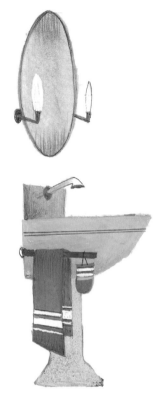

الحمام

Badkamer

Bathroom

חֲדַר הָאַמְבַּטְיָה

الباب مفتوح. تفضل، ادخل. لا، لن ننظر.
سنغلق أعيننا حين ستدخل إلى الحمام. أو تفضل
الاستحمام؟ هذا جيد أيضا، المهم هو أن تكون نظيفا، من
الداخل والخارج.
نعم، نظيف من كل الجهات. يبدو هذا غريبا؟ وكأنه يمكن
أن تغتسل من الداخل أيضا. وتضع قلبك ورئتيك في
الشامبو. ولكن ليس هذا هو ما نقصده. يمكن أن تجرب
ذلك، ولكن لا يمكن لك أن تحكي ذلك فيما بعد.
الذي نقصده فعلا؟ بعض الأشخاص يأخذون حماما من
أجل نظافة أنفسهم. نظافة بمعنى الكلمة. لا يدلكون
جلدهم فقط، ولكن أفكارهم وأحاسيسهم. هذا ما نقصده
بالداخل. حين تكون أعمق فكرة نظيفة، يمكن أن يصلوا.
هذا ليس بالأمر الهين، فليست كل الأفكار قابلة للامساك
بها. فهي ليست أصابع لصيقة بقدمك. فتلك الأفكار
تحوم، وفي بعض الأحيان تكون في حاجة إلى مجهود جبار
للامساك بها. لذا فالإغتسال من الداخل هو أيضا شيء
مخصص للناس الكبار. فهم دائما يعقدون الأمور شيئا ما.
هل تعلم؟ فلتبقى انت في الخارج مع ذلك الصابون. والآن
بسرعة، لأنه سنعد الى عشرة ثم نفتح أعيننا من جديد.

The door's open. Come on in. No, we won't look. We'll close our eyes while you get in the bath. Or would you prefer to take a shower? That's fine too, both are okay, as long as you get clean. On the inside and on the outside.
Yes, clean on all sides. That sounds weird, doesn't it? As if you can scrub yourself on the inside. Using the shampoo to fill your heart and lungs up with froth. Of course, that's not what we mean. You can try, but you might not live to tell the tale.
What do we mean then? Well, some people bathe to get Clean. That's right, Clean with a capital C. Instead of just cleansing their skin, they also cleanse their thoughts and feelings. That's what we mean by on the inside. It's only after having cleaned their innermost thoughts that they are allowed to pray.
That's quite a chore, actually, because thoughts aren't always easy to pin down. They're not like toes, stuck to your feet. Some thoughts just float around inside you, and it can be very difficult to get hold of them. That's why cleansing your insides is really something for grown-ups. They always do things the hard way.
You know what? You just stick to the outside with that soap. And now hurry up, because we're going to count to ten and then we're opening our eyes again.

De deur is open hoor. Kom maar

binnen. Nee, we zullen niet kijken. We doen onze
ogen wel dicht terwijl jij in bad stapt. Of neem je
liever een douche? Ook goed, het mag allebei, als
je maar schoon wordt. Vanbinnen en vanbuiten.
Ja, van alle kanten schoon. Wat klinkt dat raar
hè? Alsof je je ook aan de binnenkant kunt
schrobben. Dat je je hart en je longen eens
lekker in de shampoo zet. Maar dat bedoelen we
natuurlijk niet. Je kunt het wel proberen, maar
dan kun je het alleen niet meer navertellen.
Wat we wel bedoelen? Sommige mensen nemen
een bad om Schoon te worden. Schoon met een
hoofdletter. Ze poetsen niet alleen hun velletje,
maar ook hun gedachten en hun gevoelens. Dat
bedoelen we met de binnenkant. Pas als zelfs de
diepste gedachte gewassen is mogen ze bidden.
Dat is nog best een heel gedoe hoor, want niet
alle gedachten laten zich zomaar vangen. Het
zijn geen tenen die vastzitten aan je voeten. Die
gedachten zwerven maar wat rond en het kost
soms heel veel moeite om ze te pakken te
krijgen. Dat wassen aan de binnenkant is daarom
ook echt iets voor grote mensen. Die moeten
altijd een beetje moeilijk doen.
Weet je wat? Blijf jij maar aan de buitenkant met
die zeep. En nou opschieten, want we tellen tot
tien en dan doen we onze ogen weer open.

הַדֶּלֶת פְּתוּחָה, יְלָדִים. הִכָּנְסוּ. זֶה
בְּסֵדֶר, אֲנַחְנוּ לֹא נִסְתַּכֵּל. אֲנַחְנוּ נַעֲצֹם אֶת הָעֵינַיִם עַד
שֶׁתִּכָּנְסוּ לָאַמְבַּטְיָה. אוֹ שֶׁאוּלַי אַתֶּם מַעֲדִיפִים לְהִתְקַלֵּחַ?
מַה שֶׁתִּרְצוּ, הָעִקָּר שֶׁתֵּצְאוּ נְקִיִּים. מִבַּחוּץ וּמִבִּפְנִים.
מַה שֶׁשְּׁמַעְתֶּם! נְקִיִּים מִכָּל הַצְּדָדִים. נִשְׁמָע מוּזָר, מָה?
כְּאִלּוּ שֶׁאֶפְשָׁר לִרְחוֹץ אֶת הַגּוּף גַּם מִבִּפְנִים. לְסַבֵּן אֶת הַלֵּב
וְהָרֵיאוֹת. אֲבָל לֹא לְזֶה הִתְכַּוַּנּוּ, זֶה בָּרוּר. אֶפְשָׁר אָמְנָם
לְנַסּוֹת, אֲבָל לֹא נִרְאֶה לָנוּ שֶׁזֶּה יִגָּמֵר טוֹב.
לְמָה כֵּן הִתְכַּוַּנּוּ? לְזֶה שֶׁיֵּשׁ אֲנָשִׁים שֶׁמִּתְרַחֲצִים כְּדֵי
לְהִתְנַקּוֹת בְּגָדוֹל. הֵם לֹא רַק שׁוֹטְפִים אֶת הָעוֹר, הֵם גַּם
מְנַקִּים אֶת הָרֹאשׁ. וְגַם אֶת הַלֵּב. כִּי רַק כְּשֶׁהֵם נְקִיִּים בַּגּוּף
וּבַנֶּפֶשׁ, מֻתָּר לָהֶם לְהִתְפַּלֵּל.
וְזֶה בִּכְלָל לֹא פָּשׁוּט. לֹא אֶת כָּל הַמַּחְשָׁבוֹת אֶפְשָׁר לִתְפֹּס.
מַחְשָׁבוֹת הֵן לֹא כְּמוֹ בְּהוֹנוֹת, שֶׁמְּחֻבָּרוֹת לְכַף הָרֶגֶל.
הַמַּחְשָׁבוֹת מִטַּיְּלוֹת לָהֶן חָפְשִׁי וְלִפְעָמִים קָשֶׁה מְאֹד לֶאֱחֹז
בָּהֶן. אָז אֶת הָרַחְצָה מִבִּפְנִים נַשְׁאִיר לַמְבֻגָּרִים. הֵם אוֹהֲבִים
דְּבָרִים קָשִׁים.
אַתֶּם יוֹדְעִים מָה? אַתֶּם תִּסְתַּבְּנוּ לָכֶם מִבַּחוּץ. אֲבָל תְּמַהֲרוּ
קְצָת. אֲנַחְנוּ נִסְפֹּר עַד עֶשֶׂר וְאָז נִפְתַּח אֶת הָעֵינַיִם.

Iedereen in het bad

De burgemeester van Waddermerveen
zat voor het venster van negen tot één
en zag tevreden hoe daar beneden
de mensen allerlei dingen deden.

Boenen en wassen en schrobben en dweilen,
schuren en plassen met tobbes en teilen.
Iedereen klom op zijn keukentrapje,
vanwege de komende Pasen, snap je?

Maar, zei de burgemeester vrindelijk,
zijn al die mensen nou zelf wel zindelijk?
En moest niet iedereen hier in de stad,
nog vóór de eerste paasdag in het bad?

Zo kwam voor ieder het dringend vermaan
om nog vóór Pasen het bad in te gaan.
Nou, dat begrijp je, het werd een gedrang.
Er stond voor 't badhuis een rij van belang.

Iedereen
in Waddemerveen
werd hartstikke schoon,
van top tot teen,
behalve één.

Dat was de koster van deze stad,
die wilde van alles, maar níét in het bad.
Hij zat vol wrok in de kolenkelder
en daarvan wordt men nu eenmaal niet helder.

De mensen hoorden de paasklokken beieren
en aten hun Waddemerveense eieren,
met schone vingers uit schone dopjes.
Ze waren onnoemelijk in hun nopjes.

Maar...
wie stond op de stoep van het schone stadhuis?
De koster. Ónder het kolengruis.
De burgemeester werd stil van verdriet...
Neen, zei hij zacht, dát nemen we niet.
En de smerige koster werd vastgegrepen
teneinde hem dadelijk in te zepen.

Hij moest in de kuip en wanneer je dit leest
dan glimt de koster het allermeest.

כֻּלָּם לָאַמְבָּט

רֹאשׁ הָעִיר, אָדוֹן צְלוֹפְחַת,
יָשַׁב אֶל הַחַלּוֹן מִתֵּשַׁע עַד אַחַת,
הִבִּיט בִּנְתִינָיו וְלִבּוֹ נִמְלָא שִׂמְחָה
כְּשֶׁרָאָה שֶׁהֵם עוֹסְקִים בַּעֲבוֹדָה וּבִמְלָאכָה.

מְסִירִים אֶת הָאָבָק, מְטַאְטְאִים, מְקַרְצְפִים,
מְמָרְקִים, מְסַבְּנִים, רוֹחֲצִים וְשׁוֹטְפִים,
מְנַקִּים בְּתוֹךְ הַבַּיִת וְגַם מִסָּבִיב,
לִקְרַאת חַג הַפֶּסַח, חַג הָאָבִיב.

אָמַר רֹאשׁ הָעִיר: כָּל הַכָּבוֹד, אֵיזֶה עַם!
רַק שֶׁלֹּא יִשְׁכְּחוּ לְנַקּוֹת אֶת עַצְמָם.
כִּי גַם בְּעֶרֶב פֶּסַח, וְלֹא רַק בְּשַׁבָּת,
צָרִיךְ שֶׁכֻּלָּם יִטְבְּלוּ בָּאַמְבָּט.

מִיָּד שָׁלַח צַו דָּחוּף לְכָל תּוֹשְׁבֵי הָעִיר:
כֻּלָּם לָאַמְבַּטְיָה! מִזָּקֵן וְעַד צָעִיר,
מִגָּבוֹהַּ עַד נָמוּךְ, מִגָּדוֹל וְעַד קָטָן,
אֵיזוֹ מְהוּמָה פָּרְצָה! אֵיזֶה בַּלָּגָן!

בְּסוֹפוֹ שֶׁל דָּבָר
הַכֹּל עָבַר
וְכֻלָּם הָיוּ נְקִיִּים
בִּמְיֻחָד
חוּץ מֵאִישׁ אֶחָד.

89

מִי הָיָה הָאִישׁ? הַשָּׁרָת שֶׁל הָעִירִיָּה.
קָשֶׁה לְהַאֲמִין, זוֹ מַמָּשׁ שַׁעֲרוּרִיָּה!
הוּא הִסְתַּגֵּר לוֹ בַּמַּרְתֵּף עִם פַּרְצוּף חָמוּץ.
לֹא הָיָה בִּכְלָל אִכְפַּת לוֹ מַה קּוֹרֶה בַּחוּץ.

אַט יָרַד הָעֶרֶב וְכָל תּוֹשְׁבֵי הָעִיר
קִבְּלוּ אֶת הַחַג בִּתְפִלָּה וּבְשִׁיר
נְקִיִּים וּמְצֻחְצָחִים יָשְׁבוּ אֶל הַשֻּׁלְחָן
שֶׁהָיָה עָרוּךְ וּמוּכָן וּמְזֻמָּן.

אֲבָל...
מִי צַץ לוֹ פִּתְאוֹם מוּל בֵּיתוֹ שֶׁל רֹאשׁ הָעִיר?
הַשָּׁרָת, מְלֻכְלָךְ וּמְטֻנָּף כְּמוֹ חֲזִיר.
רֹאשׁ הָעִיר הַזְדַּעְזַע, לִבּוֹ הִתְכַּוֵּץ.
לֹא וְלֹא, הוּא לָחַשׁ, הָאִישׁ חַיָּב לְהִתְרַחֵץ!
אָז הוּא וְאִשְׁתּוֹ תָּפְסוּ אֶת הַשָּׁרָת
וְלָקְחוּ אוֹתוֹ מִשָּׁם יָשָׁר לָאַמְבָּט.

וְעַכְשָׁו שֶׁגְּמַרְתֶּם לִקְרֹא אֶת הַשִּׁיר,
הַשָּׁרָת כְּבָר נָקִי מַמָּשׁ כְּמוֹ רֹאשׁ הָעִיר.

Everyone in the Tub

The mayor of the town of Netherby-Dunne
sat by his window from nine until one
and smiled to see that below on the street
the people were busily making things neat.

Sweeping and mopping and washing and scrubbing,
swiping and wiping and buffing and rubbing,
they climbed up on chairs to reach the high places,
and spring-cleaning fever lit up all their faces.

"Wait," said the mayor, who had had an idea,
"It takes more to ensure a clean start to the year.
We don't want a single grommet or grub,
everyone here must get into the tub.

"Easter is coming and everyone must
have a good bath to wash off the dust."
The people agreed and that day by two,
they were down at the bathhouse
and starting to queue.

Everyone
in Netherby-Dunne
got into the tub
to have a good scrub,
except for one.

The one who wouldn't was the verger.
He hated bathtubs, he was not a submerger.
Instead he stayed hidden down in his coal cellar,
a grimy and sooty, determined old feller.

When Easter arrived, the bells started ringing.
The people were happy and quietly singing.
They sat down to feast on the eggs they had boiled,
delighted that nothing and no one was soiled.

But...
Who's that on the steps of the spotless town hall?
The verger, still filthy with coal dust and all!
At first the mayor was flabbergasted.
But then he shouted, "No!" and "Blast it!"
and ordered the bailiffs to grab the old fiend,
and scrub him until he'd been thoroughly cleaned.

They submerged that verger,
and 'though he did bawl,
He's now the squeakiest clean of them all.

لنستحم جميعا

رئيس بلدية فاس الجديدة
جلس أمام النافذة من التاسعة الى الواحدة
ورأى مسرورا كيف يقوم
الناس بمختلف الأشياء في المدينة.

الفرك، الاغتسال، الحك والمسح،
واللعب في الماء بالمغسلات والطشوط.
كل واحد يتسلق سلم مطبخه.
بسبب عيد الفصح القادم، أتفهم؟

ولكن رئيس البلدية قال بلطف،
هل كل أولئك الأشخاص نظيفون؟
أليس من واجب الجميع هنا في المدينة،
الذهاب الى الحمام قبيل الحفلة؟

وهذا ما خطر في بال الجميع
الذهاب الى الحمام قبل عيد الفصح.
طبعا، تفهم ذلك، فقد كان هناك ازدحام.
وطابور طويل أمام الحمام.

الجميع في
فاس الجديدة
أصبح نظيفا جدا،
من الرأس إلى القدمين،
إلا واحدا.

وهو سادن هذه المدينة،
الذي كان مستعدا لفعل كل شيء، باستثناء الذهاب إلى
الحمام.
كان جالسا في القبو البارد وهو مستاء جدا
وهذا لا يساعد على الصفاء.

سمع الناس صوت أجراس عيد الفصح
وأكلوا بيض فاس الجديدة،
بأصابعهم النظيفة من قشور البيض النظيفة.
واستمتعوا للغاية.

ولكن...
من كان على عتبة مبنى بلدية المدينة النظيفة؟
السادن الملطخ ببقايا الفحم.
ومن كثرة الحزن سكت رئيس البلدية...
لا، قال بصوت خفيف، لن نقبل هذا.
فأمسك السادن الوسخ
ليغسل بالصابون فورا.

كان عليه أن يغسل في الحوض وعند قراءة هذا
سيكون السادن هو الأكثر لمعانا.

שָׂרִית הַלִכְלוּכִית

יְלָדִים, רְאִיתֶם אֶת שָׂרִית הַלִכְלוּכִית?
זֹאת הַיַּלְדָּה שֶׁבַּתְּמוּנָה: קְטַנָּה וּפִרְחָחִית.
הָאַף שֶׁלָּהּ נוֹזֵל וְצִפָּרְנֶיהָ אֲרֻכּוֹת,
רַגְלֶיהָ מְכֻסּוֹת בְּבֹץ, שִׁנֶּיהָ יְרֻקּוֹת,
שִׂמְלָתָהּ קְרוּעָה וְחֻלְצָתָהּ מְלֵאָה חוֹרִים,
שְׂעָרָהּ פָּרוּעַ וּפָנֶיהָ דֵּי שְׁחוֹרִים,
יָדֶיהָ וּבִרְכֶּיהָ מְלֻכְלָכוֹת נוֹרָא,
דּוֹנַג בְּאָזְנֶיהָ וּכְתָמִים עַל צַוָּארָהּ.
הִיא לֹא נוֹגַעַת בְּמַגֶּבֶת וְלֹא בְּמַפִּית,
אֵיזוֹ מְלֻכְלֶכֶת הִיא שָׂרִית הַלִכְלוּכִית!

כְּשֶׁשָׂרִית נִכְנֶסֶת פְּנִימָה אִמָּא נֶאֱנַחַת:
אוֹי וַאֲבוֹי לִי! אֵיזֶה רֵיחַ, אֵיזֶה רֵיחַ, פַּחַד!
בּוֹאִי הֵנָּה! תְּנִי לְאִמָּא לְנַקּוֹת אוֹתָךְ!
אַתְּ נִרְאֵית כְּאִלּוּ שֶׁיָּצֵאת מִתּוֹךְ הַפַּח!
מַה קָּרָה לַשְׂעָרוֹת? מַמָּשׁ מַגְעִיל לִנְגּוֹעַ!
אֲבָל שָׂרִית מַפְנֶה לָהּ גַּב, הִיא לֹא רוֹצָה לִשְׁמוֹעַ.

יוֹם אֶחָד קָנְתָה שָׂרִית כַּרְטִיס לָאֳנִיָּה,
קָרְאָה "בַּיי בַּיי!", עָלְתָה עַל הַסִּפּוּן וְתוֹךְ שְׁנִיָּה
הִפְלִיגָה אֶל מֵעֵבֶר לָאוֹקְיָנוֹס הַגָּדוֹל,
לָאָרֶץ אִיכְסָה-פִיכְסָה, שֶׁכֻּלָּהּ רַק בֹּץ וָחוֹל.
מֵהָרֶגַע הָרִאשׁוֹן הִרְגִּישָׁה שָׁם בְּנַחַת,
כָּל הָאֲנָשִׁים הָיוּ מְטֻנָּפִים כְּמוֹהָ,
לְכָל אֶחָד הָיָה מְעִיל מָלֵא כְּתָמֵי קָפֶה,
כִּי מִי שֶׁלֹּא הָיָה לוֹ, לֹא נֶחְשַׁב בָּחוּר יָפֶה.
כָּל אַחַת מָרְחָה קְצָת פִּיחַ עַל הַשְׂעָרוֹת,
כִּי מִי שֶׁלֹּא - זָכְתָה לְלַעַג מֵהַחֲבֵרוֹת.
לְהִתְפַּלֵּשׁ בַּבֹּץ נֶחְשַׁב שָׁם שִׂיא הָאָפְנָה,
בְּיִחוּד בָּעֶרֶב כְּשֶׁהוֹלְכִים לְאֵיזוֹ חֲתֻנָּה.

נָסִיךְ אִיכְסָה-פִיכְסָה הָיָה מְטֻנָּף שֶׁאֵין כְּמוֹתוֹ,
יְהוֹשֻׁעַ הַפָּרוּעַ הָיָה צַח לְעֻמָּתוֹ.
בָּרֶגַע שֶׁרָאָה הוּא אֶת שָׂרִית הַלִכְלוּכִית,
קָרָא: "אֲנִי אוֹהֵב אוֹתָהּ הֲכִי-הֲכִי-הֲכִי!"
הֵם הִתְחַתְּנוּ וְחָיוּ בְּטִנּוֹפֶת וְלִכְלוּךְ,
שָׂרִית וְהַנָּסִיךְ – אֵיזֶה יֹפִי שֶׁל שִׁדּוּךְ!

נוֹלְדוּ לָהֶם גַּם יְלָדִים, וְכָל הַמִּשְׁפָּחָה
חָיְתָה מֵאָז בְּזֶבֶל וּבַסְחִי – וּבְשִׂמְחָה.

Slordige Saartje

Hebben jullie Slordige Saartje gekend?
Hier kun je haar zien, op die slordige prent.
Haar nageltjes waren zo zwart en zo lang!
Ze had vieze voeten, een veeg op haar wang,
een jurkje vol gaten en smerige sokken
en warrige haren en roet op haar rokken
en veel vieze handen en veel vieze oren
en vlekken van achter en vlekken van voren.
Ze nam nooit een borstel en nimmer een schaartje...
O lieve deugd! Wat een Slordige Saartje

Als Saartje naar huis kwam, zei moe met een zucht:
Oooooh, wat een lucht, wat een lucht, wat een lucht!
Kom hier! Laat je moeder eens iets aan je doen!
Je neus is weer zwart! En je tanden zijn groen!
Kom hier met je haar! Er zit erwtensoep in!
Maar Saartje liep weg. Het was niet naar haar zin...
Ze ging op een schip, en ze kocht er een kaartje
En schreeuwde: Adieu! – Die ondeugende Saartje!

Ze voer op het schip naar de overkant
en daar was het Slordige Sloerie-land
En daar voelde Saartje zich heerlijk en vrij,
want iedereen was er zo slordig als zij,
en iedereen had daar een jas aan vol smeer,
en als je dat niet had was je geen heer.
En iedereen smeerde daar roet aan de ramen
en als je dat niet deed was je geen dame.
't Was sjiek om zich daar in de modder te wentelen
en dan naar een gala-uitvoering te drentelen.

De prins van dat land was nog viezer dan vies.
't Was net Piet de Smeerpoets, maar dan ook precies!
En toen hij de Slordige Saartje ontmoette,
toen was hij verrukt. En hij viel aan haar voeten.
Ze trouwden en 't was wel een heel slordig paartje:
de Slordige Prins en het Slordige Saartje.

En al de kindertjes die ze kregen
zaten metéén al vol vlekken en vegen.

Messy Amanda

Have you heard of Messy Amanda.
Her picture's right here, take a gander.
Her nails were grimy and awfully long.
Her socks gave off a most terrible pong.
Her clothes were stained and incredibly torn.
Her shoes were scuffed and amazingly worn.
She never resorted to water and soap.
Her hair was entangled way, way beyond hope.
Neat people, they just couldn't stand her...
Oh, she was one Messy Amanda!

Amanda came home to her mother,
who sighed and said, "Oh, goodness, love her!
Just look at that dress, you can't call it clean.
Just look at those teeth, they're turning quite green!
You can't live like that. You listen to me!"
Amanda just frowned. She didn't agree.
She went to the port and she boarded a ship,
and Messy Amanda gave mother the slip!

She stayed on that ship for as long as she'd planned,
until it put into Mess-Muckiness Land.
Amanda felt happy, she thought she might purr,
because everyone there was as messy as her.
Everyone there had a smudge on their face,
and if it was clean it was quite a disgrace.
And every door there had a grey, sticky handle,
and polishing handles was seen as a scandal.
It was chic in that land to have a mud fight
and then wander off to an opening night.

The prince of that country was messy as well,
His clothes were all tattered and, boy, did he smell.
When he met Amanda his heart missed a beat,
he took off his hat and fell down at her feet.
He begged her to be his princess
and Messy Amanda said yes.

And all of the sons and the daughters they had
were born to be grubby... like Mum and like Dad.

سارة المهملة

هل عرفتم سارة المهملة؟
هنا يمكن رؤيتها، على هذا الصورة غيرالمتقنة.
أظافرها سوداء وطويلة!
واللطخات على خدها، وقدميها وسخة،
فستانها مليء بالثقوب وجواربها وسخة،
وشعرها مبعثر، والسواد يلطخ تنانيرها،
ويديها وسخة جدا، وأذنيها،
بقع من الوراء، وبقع من الأمام.
تأخذ أبدا المقص ولا الفرشة...
يا الهي! يا لها من سارة مهملة.

حين تأتي سارة إلى البيت، تقول متعبة متنهدة:
أووووه، يا لها من رائحة، يا لها من رائحة، يا لها من رائحة!
تعال إلى هنا! دع أمك تفعل شيأ!
أنفك أسود من جديد! وأسنانك خضراء!
اقتربي إلى هنا! بشعرك مليء بحساء الفول!
ولكن سارة ذهبت. لم تكن تحب ذلك...
ذهبت على متن باخرة، واشترت تذكرة
وصرخت: وداعا! - يا سارة الشقية!

سافرت إلى الجهة الأخرى على متن الباخرة
وهنالك كانت الأرض المتسخة
وشعرت سارة هناك بالسعادة وطعم الحرية،
لأن الجميع كان مهملا مثلها،
والجميع هناك كانت له بذلة ملطخة،
وإذا لم تكن كذلك، فلن تكون سيدا.
والجميع هناك كان يلطخ النوافذ بالسواد،
واذا لم تفعل ذلك، فلن تكون سيدة.
أن تتمرغ في الوحل كان من الأناقة،
لتذهب بعد ذلك إلى حفلة ساهرة.

أمير تلك الأرض كان أوسخ من الوسخ.
كان يشبه سمير الواسخ، ولكن في كل شيء!
وعند لقائه بسارة المهملة،
كان مبتهجا، وانحنى أمام قدميها.
وتزوجا وكان زوجين مهملين كثيرا:
الأمير المهمل وسارة المهملة.

وكل الأطفال الذين أنجبوا
كانوا مليئين بالبقع واللطخات.

חֲדַר הַשֵּׁנָה

Bedroom

غرفة النوم

Slaapkamer

Het Kameeltje

Er was een oude koning in een zilveren paleis,
hij was heel goed en nobel, en zijn baard was lang en grijs.
Nu moet je weten, dat die koning een kameeltje had,
een lief klein wit kameeltje, dat gewoonlijk naast hem zat.
Hij nam het mee uit wandelen; 't zat bij hem op de troon,
en alle mensen in dat land, die vonden het gewoon,
behalve dan de koningin. Ze kon het niet goed velen.
Ze hield wel van de koning, maar ze hield niet van kamelen.

Toen zei de oude koning: Zit niet altijd zo te vitten
en voortaan moet het lieve dier bij ons aan tafel zitten.
Toen zweeg de koningin een poos. Ze zuchtte en ze sprak:
Hier lieve, neem wat appelmoes en neem een bal gehak.
En het kameeltje zat aan tafel met een grote slab
en het kameeltje kreeg ook soep en rijst met bessesap.

En op een goeie ochtend zei de koning welgemoed:
Ik wil 't kameeltje mee naar bed, dat vind je toch wel goed?
Nee, zei de koningin beslist, nou zit het me tot hier!
Nu hangt het me de keel uit, dat verschrikkelijke dier.
'k Wil wel een teddybeer in bed, dat kan me echt niet schelen
en ik wil heus van alles in m'n bed. Maar geen kamelen!

Toen ging de koning schreien, en de hele vloer werd nat.
Hij snikte en hij jammerde: Ik mag ook nooit 's wat!
Vooruit dan maar, vooruit dan maar, zo zei de koningin.
Nu gaan ze altijd slapen met 't kameeltje tussenin.

الجمل الصغير

كان هناك ملك كبير السن في قصر فضي،
كان جيدا ونبيلا، ولحيته كانت طويلة وكثيرة الشيب.
والآن يجب أن تعلم، أن ذلك الملك كان يملك جملا،
يجلس بجانبه، جملا صغيرا محبوبا أبيض اللون.
كان يرافقه حين يتجول، ويجلس بجانبه على العرش،
وكل الناس في ذلك البلد، كانوا يعتبرون ذلك عاديا،
باستثناء الملكة. لم تكن تتحمل ذلك كثيرا.
كانت تحب الملك، ولكنها لم تكن تحب الجمال.

وقال الملك المسن: لا تتذمري هكذا دائما
ومن الآن فصاعدا سيجلس الحيوان المحبوب معنا حول الطاولة.
وسكتت الملكة لحظة وقالت متنهدة:

يا عزيزي، خذ التفاح المطحون وخذ الكفتة.
وجلس الجمل حول الطاولة بفوطة كبيرة
وأعطوا للجمل الرز بعصيرالكشمش والحساء أيضا.

وفي صباح جميل قال الملك فرحا:
أريد أن يذهب الجمل معنا إلى السرير، تحبين الفكرة، أليس كذلك؟
لا، قالت الملكة بحزم، والآن وصل السيل الزبى!
لم أعد أتحمل، ذلك الحيوان الرهيب.
أنا أريد دمية الدب في السرير، لم اعد أكترث
أريد أي شيء في سريري، ولكنني لا أريد جمالا!

وحينئذ ذهب الملك للبكاء، وأصبح كل الأرض مبلل.
نشج واشتكى: اليس مسموحا أن أقوم بشيء!
وقال الملك: فليكن! فليكن!
والآن يذهبان للنوم والجمل الصغير دائما بينهما.

The Camel

There was a king who lived once in a palace on a bay,
he was quite good and noble and his beard was long and grey.
The king – you need to know this – kept a camel as a pet,
a lovely, little camel that he'd made a baronet.
He took it out for walks with him and nursed it on the throne,
and all the people in that land, they loved it as their own.
Except for one, regrettably... The queen just couldn't stand it.
She loved the king, but camels, no. And no one could demand it.

"Ridiculous," her husband scoffed, "I'm sure that you are able.
And from now on the darling pet will join us at the table."

The queen was at a total loss, she sighed, and then she said,
"Here, sweetheart, have another chop, or sausages instead."
And the camel sat between them with a bib to catch the dribbles,
and the servants brought it soup and rice and lots of yummy nibbles.

And then, one afternoon, the king came up with something new,
"The camel will sleep in bed with us. Is that okay with you?"
"No, it is not!" the queen replied, "I've had it up to here!
I'm sick to death of it. A queen is not a cameleer.
A teddy bear in bed is fine. Or some small cuddly mammal.
A cat or anything like that. But I won't have a camel!"

And then the king began to bawl. His tears poured on the floor.
He whimpered, "No one's any fun around here anymore."
"All right, okay," the queen relented. "You know I'm not that mean."
And now they always sleep at night with the camel in between.

הַגָּמָל

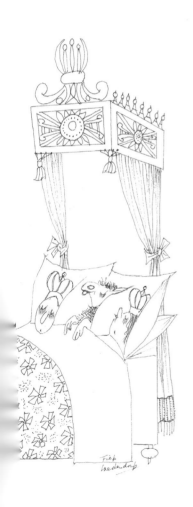

הָיֹה הָיָה מֶלֶךְ זָקֵן, הוּא גָּר בְּאַרְמוֹן שֶׁל זָהָב,
לִבּוֹ הָיָה רָחָב וְנָדִיב וּזְקָנוֹ לָבָן כְּשֶׁנִּהְיָה.
הָיָה לַמֶּלֶךְ גָּמָל שֶׁלִּוָּה אוֹתוֹ עוֹד מִימֵי יַלְדוּתוֹ,
גָּמָל קָטָן וְחָמוּד וְלָבָן, שֶׁאַף פַּעַם לֹא עָזַב אוֹתוֹ.
יַחַד יָשְׁבוּ עַל כֵּס הַמַּלְכוּת, יַחַד יָצְאוּ לְטַיֵּל,
וְכָל מִי שֶׁרָאָה אֶת שְׁנֵיהֶם הָיָה מִתְלַהֵב וְגַם מִתְפַּעֵל.
רַק הַמַּלְכָּה הֵגִיבָה אַחֶרֶת, זֶה הוֹצִיא אוֹתָהּ מֵהַכֵּלִים,
כִּי הִיא מְאֹד אָהֲבָה אֶת הַמֶּלֶךְ, אֲבָל הִיא לֹא אָהֲבָה גְּמַלִּים.

יוֹם אֶחָד אָמַר לָהּ הַמֶּלֶךְ: אַתְּ מִנַּדְנֶדֶת לִי כָּל הַזְּמַן!
מֵהַיּוֹם וָהָלְאָה הַגָּמָל יֵשֵׁב אִתָּנוּ אֶל הַשֻּׁלְחָן!
שָׁתְקָה הַמַּלְכָּה, נֶאֶנְחָה וְאַחַר-כָּךְ אָמְרָה לַמֶּלֶךְ בְּנַחַת:
טָעִים לְךָ הַמָּרָק, יַקִּירִי? לִמְזֹג לְךָ עוֹד צַלַּחַת?
וּמֵאָז הַגָּמָל יָשַׁב אִתָּם, לְצַוָּארוֹ סִנָּר,
אָכַל יָפֶה מֵהַמָּרָק, אֲבָל לֹא נָגַע בַּבָּשָׂר.

עֶרֶב אֶחָד אָמַר הַמֶּלֶךְ לַמַּלְכָּה אִשְׁתּוֹ:
אֲנִי לֹא יָכוֹל בְּלִי הַגָּמָל שֶׁלִּי, אוּלַי נִישַׁן אִתּוֹ?
בְּשׁוּם פָּנִים וְאֹפֶן לֹא, עָנְתָה, אַתָּה נִסְחָף!
הִזְמַנְתְּ! הַגָּמָל הַזֶּה יוֹצֵא לִי מֵהָאַף!
נִישַׁן עִם חֲתַלְתּוּל, עִם תַּרְנְגֹלֶת, עִם בָּצָל!
לֹא אִכְפַּת עִם מִי, מָה, מוּ, אֲבָל לֹא עִם גָּמָל!

פָּרַץ הַמֶּלֶךְ בִּדְמָעוֹת, כָּל הָאַרְמוֹן הוּצַף.
אַתְּ לֹא מַרְשָׁה לִי שׁוּם דָּבָר, בָּכָה וּמָשַׁךְ בָּאַף.
נוּ טוֹב, בְּסֵדֶר, אַל תִּבְכֶּה, קָרְאָה אִשְׁתּוֹ, גּוֹנַחַת.
וּמֵאָז הֵם יְשֵׁנִים תָּמִיד עִם הַגָּמָל בְּיַחַד.

כְּשֶׁהַצִּפּוֹרִים הוֹלְכוֹת לִישׁוֹן

כְּשֶׁהַצִּפּוֹרִים הוֹלְכוֹת לִישׁוֹן, הֵן יְשֵׁנוֹת בַּקֵּן,

כָּךְ זֶה בְּאַרְצֵנוּ, וּבְחוּצְלָאָרֶץ גַּם כֵּן.

רַק לַגּוֹזָלִים שֶׁלָּנוּ יֵשׁ עַרְסָל לִישׁוֹן בּוֹ,

לְאֶחָד קוֹרְאִים בּוּבּוּנִי, לַשֵּׁנִי נִיבּוּבּוֹ,

לַשְּׁלִישִׁי בּוּבָּנִי, אַךְ אִם תִּשְׁאֲלוּ אוֹתִי

אֵין בִּכְלָל שֵׁמוֹת כָּאֵלֶּה. זוֹהִי דַעְתִּי!

כָּל עֶרֶב בְּעֶשְׂרִים לִשְׁמוֹנֶה שְׁלֹשֶׁת הָאַחִים

שׁוֹטְפִים מַקּוֹר, סוֹרְקִים נוֹצוֹת וּבָעַרְסָל צוֹנְחִים.

וְאִמָּא צִפּוֹרִית אָז בָּאָה לְסַפֵּר סִפּוּר

עַל בַּרְוָזוֹן אֶחָד שֶׁהִתְבָּרֵר שֶׁהוּא בַּרְבּוּר.

וְאַחַר-כָּךְ הֵם נִרְדָּמִים, הַגּוֹזָלִים שְׁלֹשָׁה,

לַיְלָה טוֹב, אוֹמֶרֶת אִמָּא בִּלְחִישָׁה-שָׁה-שָׁה.

בַּבֹּקֶר בָּאָה אִמָּא לְהָעִיר אֶת הַבָּנִים:

בֹּקֶר טוֹב, לָקוּם, לְהִסְתָּרֵק, לִרְחֹץ פָּנִים!

וְאָז הִיא מְבִיאָה אוֹתָם לְגַן הַצִּפּוֹרִים,

שָׁם הֵם לוֹמְדִים לָשִׁיר וּלְצַיֵּץ, וְהַמּוֹרִים

אוֹמְרִים: הַתַּלְמִידִים הֲכִי טוֹבִים שֶׁיֵּשׁ בַּגַּן

הֵם בְּלִי סָפֵק בּוּבּוּנִי וְנִיבּוּבּוֹ וְבוּבָּן.

When Baby Birds Go Beddy-Byes

When baby birds go beddy-byes, they doze off in a nest.

That's just the way they do it, in north and south and east and west.

But these three little birdies don't, they have a nice divan.

The oldest bird is called Bobbize, the second is Bobbanne,

and number three is called Bobben, and I am fairly sure

that no one, no one, no one has been called those names before.

And every night at quarter to eight the birds all say as one,

"We brush our beaks and wash our wings and comb our feathers... Done!"

Then mummy Bird comes upstairs with the lamp to say goodnight

and quickly tells a story and it always turns out right.

And then the birdies go to sleep and close their weary eyes,

and dream sweet dreams the whole night through: Bobbanne, Bobben, Bobbize.

At seven in the morning mummy Bird says, "Rise and shine!

Now brush your beaks and wash your wings and comb your feathers... Fine!"

And then they all go off to the Institute for Birdie Learning.

And there they learn their cheep-cheep-cheep from their teacher Mr. Turnwing.

And every morning Mr Turnwing says, "So, once again,

The smartest little birdies are Bobbine, Bobbanne, Bobben."

حين تذهب العصافير إلى النوم

تنام العصافير في العش حين تذهب للنوم،

هذا هو الحال، في الشمال والجنوب، في الشرق وفي الغرب،

ولكن هذه العصافير الصغيرة، لديهم ديوان!

يسمى الأول بوباين، والثاني بوبو،

والثالث يسمى بوباندر، وحسب ما أعلم

لا يوجد أحد، ولو أحد، ولو أحد يملك هذا الاسم.

وكل مساء على الساعة الثامنة إلا ربع، يقولون لبعضهم البعض:

لنحك المناقير، ولنمشط الريش ولنغسل الأجنحة...انتهينا!

ثم تأتي العصفورة الأم بالمصباح وتغطيهم،

وتحكي لهم عن ملكة النحل،

ويغمضون أعينهم ثم ينامون جنبا لجنب

وكل الثلاثة يحلمون: بوبو، بوباين وبوباندر.

وفي الصباح تقول العصفورة الأم: استيقظوا! الساعة تشير إلى السابعة،

هيا! ، امشطوا ريشكم، واغسلوا الأجنحة وحكوا المناقير...

ثم يذهبون الى معهد تعليم العصافير.

يتلقون دروسا من المعلم سعيد حول تشيب-تشيب-تشيب.

وكل صباح يقول المعلم سعيد: نعم، هكذا من جديد،

بوباين، بوباندر وبوبو هم أجمل العصافير.

Als vogeltjes gaan slapen

Als vogeltjes gaan slapen, dan slapen ze in een nest,

dat is nu eenmaal zo, in noord en zuid en oost en west,

Maar deze kleine vogeltjes, die hebben een lie-zju-moo!

De eerste heet Bobijntje en de tweede heet Bobo,

de derde heet Bobandertje, en voor zover ik weet

bestaat er niemand, niemand, niemand, niemand die zo heet.

En elke avond kwart voor acht, dan zeggen ze tegen elkaar:

Nu snaveltjes poetsen, en veertjes kammen en vleugeltjes wassen... klaar!

Dan komt moe Vogeltje met de lamp en stopt ze nog eens in,

en moet nog gauw vertellen van de bijenkoningin,

Dan slapen ze met hun oogjes toe, drie vogeltjes naast elkander

en dromen alle drie: Bobo, Bobijntje en Bobander

En 's morgens zegt moe Vogeltje: 't Is zeven uur, sta op!

Nu snaveltjes poetsen, veertjes kammen, vleugeltjes wassen... hop!

Dan moeten ze naar het Instituut voor Vogeltjesonderwijs.

Daar krijgen ze les in tsjiep-tsjiep-tsjiep van ene meester Sijs.

En meester Sijs zegt iedere morgen: Wel, het is weer zo,

De knapste vogeltjes zijn Bobijn, Bobander en Bobo.

Inhoudelijk concept en uitvoering | Concept and Execution

الفكرة والتنفيذ | תּוֹכֶן - רַעְיוֹן וּבִצּוּעַ

Initiatief | Initiators | יוֹזְמָה | المبادرة

Illustraties | Illustrations | אִיּוּרִים | الرسوم

Verhaaltjes Jip en Janneke, versjes en gedichten |

"Jip and Janneke" stories; poems

قصص يِيب و يانك. قصائد وأشعار | סִפּוּרֵי יִיפּ וְיָנֶקֶה וְשִׁירִים

Bij de Hubbeltjes thuis en Dadels van Kartoem |

"At the Henderson Place" and "Khartoum Dates"

في بيت عائلة الهوبال وتمر الخرطوم | "בְּבֵית מִשְׁפַּחַת בּוּבְּלֶה" וְ"תְּמָרִים מֵחַרְטוּם"

Verbindende teksten en recepten | Additional Text and Recipes

ربط النصوص بالوصفات | קְטָעֵי קִשּׁוּר וּמַתְכּוֹנִים

Vertaling | Translation | תִּרְגּוּם | الترجمة

Ontwerp en beeldredactie | Design and Picture Editing

التصميم و إعداد الصورة | עִצּוּב וַעֲרִיכַת תְּמוּנוֹת

Ontwerp en boekverzorging | Book Design

التصميم وصيانة الكتاب | עִצּוּב הַסֵּפֶר

Tekstredactie | Editing | עֲרִיכָה לְשׁוֹנִית | هيئة التحرير

Productiebegeleiding | Production Support | סִיּוּעַ בַּהֲפָקָה | الاشراف على الانتاج

Productieassistentie | Production Assistant | עוֹזֶרֶת הַפָקָה | المساعد ة في الانتاج

Druk | Printing | דְּפוּס | الطباعة

Adviezen | Advisors | יָעוּץ | الاستشارة

Met dank aan | With thanks to | תּוֹדוֹת לְ | الشكر لكل من

Petra Katzenstein / Joods Historisch Museum
in samenwerking met Gioia Smid / illustre bv
Shulamith Bamberger
Joël Cahen / Joods Historisch Museum
Fiep Westendorp
© illustre bv; Fiep Westendorp Illustrations
Annie M.G. Schmidt (p. 12-21, 26-29, 36-44,
48-51, 62-67, 88-96, 100-107)
© By the Estate of Annie M.G. Schmidt
© Em. Querido's Uitgeverij bv
Han G. Hoekstra (p. 24/25, 60)
© J.M. Meulenhoff bv

Bibi Dumon Tak (p. 6/7, 11, 23, 35, 47, 59,
69-85, 87, 99)
Shulamith Bamberger (Hebreeuws)
© David Colmer (Engels, 2008)
Mohamed El Ayoubi (Arabisch)
Mohamed Saadouni (Arabisch)
Chaalan Charif (Dikkertje Dap)
Gioia Smid / illustre bv
Mirjam Boelaars / Ontwerpbureau Mirjam Boelaars
Marit van der Meer / MV LevievanderMeer

Touria Bouhkim (Arabisch)
Mulli Melzer (Hebreeuws)
Ted Musaph (Hebreeuws)
Margreet Udo (Nederlands / Engels)
Ar Nederhof
Ardjuna Candotti
Calff & Meischke
Touria Bouhkim, Lorraine Miller,
Machteld Allan, Arthur Vreede
Fiep Westendorp (1916 - 2004)
Margot Rehfisch (1908 - 1994)
Najib Taoujni (1948 - 2008)
Flip van Duijn
Erven Hoekstra
Fiep Westendorp Foundation
illustre bv; Fiep Westendorp Illustrations
© Em. Querido's Uitgeverij bv
ISBN 978-90-9023286-7